브리다

옮긴이 **권미선**
고려대학교 서어서문학과를 졸업하고 스페인 마드리드 국립대학교에서 문학 석, 박사 학위를 받았다. 현재 경희대학교 스페인어과 교수로 재직중이다. 옮긴 책으로 『외면』 『핫 라인』 『소외』 『납치 일기』 『영혼의 집』 『먼 별』 등이 있다.

문학동네 세계문학
브리다

문고판 초판 인쇄 2015년 12월 3일
문고판 초판 발행 2015년 12월 10일

지은이 파울로 코엘료 | 옮긴이 권미선 | 펴낸이 염현숙

펴낸곳 (주)문학동네
출판등록 1993년 10월 22일 제406-2003-000045호
주소 10881 경기도 파주시 회동길 210
전자우편 editor@munhak.com | 대표전화 031) 955-8888 | 팩스 031) 955-8855
문의전화 031) 955-1927(마케팅) 031) 955-2684(편집)
문학동네카페 http://cafe.naver.com/mhdn | 트위터 @munhakdongne

ISBN 978-89-546-3859-3 04890
978-89-546-3857-9 (세트)

* 이 도서의 국립중앙도서관 출판예정도서목록(CIP)은 서지정보유통지원시스템 홈페이지(http://seoji.nl.go.kr)와 국가자료공동목록시스템(http://www.nl.go.kr/kolisnet)에서 이용하실 수 있습니다.
(CIP제어번호: CIP2015031457)

www.munhak.com

브리다

BRIDA

파울로 코엘료 장편소설

권미선 옮김

문학동네

일러두기

1. 본문 중의 주석은 모두 옮긴이주입니다.
2. 고딕체는 원서에서 강조한 부분입니다.

기적을 일으킨 N. D. L에게
그 기적들 중 하나인 크리스티나에게
그리고 브리다에게

원죄 없으신 마리아님,
당신께 비는 우리를 위해 기도해주소서.
아멘

또 어떤 여자에게 은전 열 닢이 있었는데 그중 한 닢을 잃었다면 어떻게 하겠느냐? 그 여자는 등불을 켜고 집 안을 온통 쓸며 그 돈을 찾기까지 샅샅이 다 뒤져볼 것이다.
그러다가 돈을 찾게 되면 자기 친구들과 이웃을 불러모으고 "자, 함께 기뻐해주십시오. 잃었던 은전을 찾았습니다" 하고 말할 것이다.

「루가복음」 15장 8~9절

차례

들어가기 전에

『순례자』를 쓸 때, 나는 거기 등장하는 람(RAM) 수련법 중 두 가지를 연극에 빠져 있던 시절 수행했던 지각(知覺) 훈련으로 대체했다. 그 결과는 거의 같았지만, 그 때문에 나는 마스터로부터 호된 꾸지람을 들었다. "더 빠르거나 쉬운 방법은 얼마든지 있다. 하지만 그런 건 중요하지 않다. 요는, 전승은 결코 변치 않은 형태로 전해져야 한다는 것이다."

'달[月] 전승'에서 수세기 동안 행해온 몇 가지의 제의가 『브리다』에 고스란히 등장하는 것은 바로 그런 이유에서이다. 달 전승에 내려오는 특별한 의식들을 실행하는 데는 경험과 수련이 필요하다. 안내자 없이 그런 의식들을 행하는 것은 위험할뿐더러 권장하고 싶지 않은 불필요한 행위이며, 그것이 영적 탐색에 심각한 해를 끼칠 수도 있음을 일러둔다.

서(序)

우리는 매일 밤늦은 시간까지 루르드의 한 카페에 함께 앉아 있곤 했다. 나는 로마를 향한 성스러운 순례에 오른 순례자였고, 내 재능을 발견하기 위해서는 아직 한참 더 길을 밟아가야 했다. 그리고 그녀, 브리다 오페른은 순례길의 한 코스를 관할하고 있었다.

어느 날 밤, 나는 그녀에게 한 가지 질문을 던졌다. 피레네 산맥 쪽의 순례길을 택한 입문자들이 걷게 되는 방사형 루트에 위치한 한 수도원에 갔을 때, 당신도 강렬한 감동을 느꼈느냐고.

"거긴 가본 적이 없는데요." 그녀가 대답했다.

나는 깜짝 놀랐다. 하지만 어쨌든 그녀는 이미 재능을 소유하고 있었다.

"모든 길은 로마로 통하죠." 그녀는 오래된 격언으로, 재능은 어디에서든 깨어날 수 있다는 것을 말했다. "나는 아일랜드에서 로마로 순례했거든요."

이어지는 우리의 만남에서 그녀는 자신이 걸어온 영적 탐색의 길에 대해 들려주었다. 이야기를 다 들었을 때, 나는 그녀에게 언젠가 그것을 글로 써도 되겠느냐고 물었다.

처음에는 그녀도 허락했다. 그러나 만남이 거듭되자 그녀는 매번 한 가지씩 단서를 달았다. 관련된 사람들의 이름을 바꿔달라고 요구했고, 그 이야기를 어떤 독자들이 읽게 될 것인지, 또 그들이 어떤 반응을 보일지 등을 궁금해했다.

"나도 알 수 없지요. 하지만 내가 보기에 당신이 걱정하는 이유는 그게 아닌 것 같군요." 내가 말했다.

"당신 말이 맞아요. 워낙 개인적인 경험이라서요. 사람들이 그 이야기에서 과연 유익한 무언가를 얻을 수 있을지도 잘 모르겠고요."

브리다, 그것은 이제부터 우리가 함께 해결해야 할 위험입니다. 전승에는 다음과 같은 작자 미상의 글이 있습니다. 사람들은 각자 자기의 삶에서 두 가지 태도를 취할 수 있다고 합니다. 건물을 세우거나, 혹은 정원을 일구거나. 건물을 세우는 사람들은 그 일에 몇 년이라는 세월을 바치기도 하지만, 결국 언젠가는 그 일을 끝내게 됩니다. 그리고 그 일을 미치는 순간, 그는 자신이 쌓아올린 벽 안에 갇히게 됩니다. 건물을 세우는 일이 끝나면, 그 삶은 의미를 잃게 되는 것입니다.

하지만 정원을 일구는 사람들도 있습니다. 그들은 몰아치는 폭풍우와 끊임없이 변화하는 계절에 맞서 늘 고생하고 쉴 틈이 없습니다. 하지만 건물과는 달리 정원은 결코 성장을 멈추지 않습니다. 또한 정원은 그것을 일구는 사람의 관심을 요구하는 동시에 그의 삶에 위대한 모험이 함께할 수 있도록 해줍니다.

정원을 일구는 사람들은 서로를 알아봅니다. 그들은 알고 있기 때문입니다. 식물 한 포기 한 포기의 역사 속에 온 세상의 성장이 깃들어 있음을.

파울로 코엘료

아일랜드

1983년 8월~1984년 3월

여름, 그리고 가을

"마법을 배우고 싶어요."

앳되어 보이는 여자가 말했다. 마법사는 그녀를 바라보았다. 빛바랜 청바지에 티셔츠, 내성적인 사람이 흔히 그러듯이 그럴 필요가 전혀 없는 상황에서 도전적인 표정을 짓고 있었다. '내 나이의 반도 안 되겠군.' 마법사는 생각했다. 하지만 그는 자신의 소울메이트가 바로 눈앞에 있다는 것을 알았다.

"제 이름은 브리다예요." 그녀가 말을 이었다. "제 소개부터 하지 못해 죄송합니다. 이 순간을 정말 오랫동안 기다려왔거든요. 그래서 생각보다 많이 긴장했나봐요."

"마법은 왜 배우고 싶은 건가?" 마법사가 물었다.

"삶에 관한 몇 가지 질문의 답을 찾고 싶어요. 신비로운 힘도 배우고 싶고요. 그리고 어쩌면 과거나 미래로 여행할 수 있을지도 모르잖아요."

이렇게 숲으로 찾아와 떼를 쓰는 사람이 그녀가 처음은 아니었다. 그도 한때 이름이 널리 알려지고, 전승의 마스터로서 존경받던 시절이 있었다. 여러 제자를 거느리고, 자신의 주위를 변화시키는 만큼 세상도 변화시킬 수 있을 거라 믿었던 시절이었다. 하지만 그는 실수를 저지르고 말았다. 전승을 지키는 마스터에게 실수는 용납되지 않는다.

"그러기에는 아직 어리다고 생각지 않나?"

"저는 스물한 살이에요." 브리다가 대답했다. "지금 발레를 배우겠다고 나서면, 한물간 취급을 받을 나이일걸요."

마법사는 그녀에게 따라오라고 손짓했다. 두 사람은 침묵 속에서 함께 숲속을 걷기 시작했다. '예쁘게 생겼어.' 마법사는 생각했다. 태양은 이미 지평선 가까이 내려와, 나무 그림자들이 시시각각 움직이고 있었다. '하지만 내 나이의 반밖에 안 돼.' 그것은 앞으로 그가 감당해야 할 괴로움이 적지 않으리라는 의미였다.

브리다는 나란히 걷고 있는 남자의 침묵이 신경에 거슬렸다. 그녀가 마지막으로 한 말에 대해서는 아직 어떤 대꾸도 하지 않았다. 숲속은 젖어 있었고, 낙엽으로 뒤덮여 있었다. 나무 그림자들이 자리를 바꾸고 순식간에 밤이 내리는 것을 그녀 또한 느낄 수 있었다. 조금 있으면 날이 어두워질 텐데, 그들에게는 손전등이 없었다.

'이 사람을 믿어야 해.' 그녀는 스스로 용기를 북돋웠다. '이 사람이 내게 마법을 가르쳐줄 수 있다고 믿는다면 이 숲속에서 나를 이끌

어줄 수 있다는 것도 믿어야 해.'

그들은 계속 걸었다. 앞이 가로막힌 것도 아닌데 그는 계속 방향을 바꿔가며 이 길 저 길 무작정 걷는 듯 보였다. 그들은 같은 장소를 서너 번 지나치며 한 바퀴 이상을 빙 돌았다.

'나를 시험하고 있는 거야.' 그녀는 끝까지 해내겠다고 다짐했고, 지금 일어나는 모든 일이—같은 자리를 맴도는 것까지 포함해—지극히 정상이라는 듯 의연하게 대처하려고 애썼다.

그녀는 아주 먼 곳에서 왔고, 이 만남을 고대해왔다. 더블린에서 거의 150킬로미터 떨어져 있는 곳이었고, 마을까지 오는 버스들은 불편한데다 운행시간표도 엉망이었다. 그녀는 아침 일찍 일어나 세 시간 동안 버스를 타고 그 작은 도시에 도착해, 여기저기 수소문하며 그를 찾아다니면서 이 이상한 남자를 왜 만나려 하는지 이유를 설명해야 했다. 마침내 남자가 낮에 주로 머문다는 숲이 어딘지 안다는 사람을 만날 수 있었다. 하지만 그 사람은, 남자가 마을 아가씨 하나를 유혹하려 한 적이 있다며 조심하라고 경고했다.

'흥미로운 남자야.' 그녀는 속으로 생각했다. 이제 길은 오르막으로 접어들었고, 브리다는 해가 하늘에 좀더 오래 걸려 있기를 바랐다. 젖은 낙엽 때문에 미끄러질까봐 걱정이었다.

"왜 마법을 배우려는 거지?"

브리다는 침묵이 깨진 것이 반가웠다. 그녀는 아까와 똑같은 대답을 했다.

하지만 그는 그것에 만족하지 않았다.

"자네는 마법이 신비롭고 비밀스럽기 때문에 배우고 싶은 모양이

군. 극소수의 사람만이 평생 동안 추구해야 얻을 수 있는 답을 마법이 품고 있어서일 수도 있겠고. 하지만 무엇보다도 낭만적인 향수를 자극해서겠지."

브리다는 아무 말도 하지 않았다. 뭐라고 말해야 할지 몰랐다. 마법사의 마음에 들지 않는 대답을 하게 될까 두려워, 차라리 그가 다시 침묵으로 돌아가기를 바랐다.

그들은 숲 전체를 통과해 마침내 산꼭대기에 이르렀다. 바위투성이에 풀도 거의 나지 않았지만 아까처럼 미끄럽지는 않아서 브리다는 힘들이지 않고 마법사를 따라갔다.

그는 가장 높은 곳에 앉더니, 브리다에게도 자리를 권했다.

"전에도 여기에 온 사람들이 있었네." 마법사가 말했다. "그들도 자네처럼 마법을 배우고 싶다고 했어. 하지만 나는 이미 가르쳐야 할 것은 모두 가르쳤고, 인간들이 내게 베풀어준 것은 인간들에게 모두 되돌려주었어. 이제는 나 혼자이고 싶네. 산에 오르고 초목을 돌보며 신과 대화하고 싶네."

"사실이 아니에요." 여자가 대답했다.

"사실이 아니라고?" 그는 깜짝 놀랐다.

"신과 대화하고 싶으시겠죠. 하지만 혼자이고 싶다는 말씀은 진심이 아니에요."

브리다는 후회했다. 그녀는 충동적으로 말을 내뱉었고, 이제 그 말을 주워담기에는 너무 늦었다. 정말로 혼자 있기를 좋아하는 사람들이 있을 수 있다. 어쩌면 남자가 여자를 필요로 하는 것보다 여자가 남자를 더 필요로 하는지도 모른다.

하지만 다시 입을 연 마법사는 화가 난 것 같지는 않았다.

"자네에게 질문을 하나 하지. 반드시 솔직하게 대답해야 하네. 진실을 말한다면 자네가 원하는 것을 가르쳐주겠네. 하지만 거짓으로 답하면, 다시는 이 숲을 찾아와선 안 되네."

브리다는 안도의 한숨을 내쉬었다. 겨우 질문 하나다. 거짓말만 하지 않으면 된다. 그게 다다. 마스터가 제자를 받아들일 때 몹시 까다롭게 굴지 않을까 생각했었으니까.

마법사가 그녀와 정면으로 마주 앉았다. 그의 두 눈은 빛나고 있었다.

"내가 배운 것들을 자네에게 가르치기 시작했다고 가정하세." 마법사는 그녀의 두 눈을 똑바로 바라보았다. "우리를 둘러싼 여러 겹의 우주들과 천사와 자연의 지혜를 자네에게 보이고, 태양 전승의 신비와 달 전승의 신비를 가르치기 시작했다고 가정하자는 거야. 그리고 어느 날, 자네는 먹을거리 몇 가지를 사러 도시로 나갔다가 길 한복판에서 자네의 운명의 상대를 만나게 되네."

'과연 알아볼 수나 있을까.' 그녀는 생각했다. 하지만 아무 말도 않고 가만있기로 했다. 질문은 생각보다 훨씬 어려워 보였다.

"그도 똑같은 감정을 느끼고, 자네를 가까이하게 되네. 두 사람은 사랑에 빠지지. 그러는 동안에도 자네는 나와 함께 정진을 계속하네. 낮에는 내가 자네에게 우주의 지혜를 가르치고, 밤에는 그가 사랑의 지혜를 알려주지. 하지만 이 두 가지를 병행할 수 없는 순간이 오고 말았어. 자네는 선택을 해야만 하네."

마법사는 잠시 말을 멈췄다. 막상 질문을 던지려니 이 어린 여자의 대답이 두려웠다. 그날 오후 그녀가 그를 찾아온 것은 두 사람의 인생에서 한 단계가 끝났음을 의미했다. 그는 그걸 알고 있었다. 마스터들의 전통과 목적을 이해하고 있기 때문이었다. 그녀가 그를 필요로 하는 것만큼이나 그 역시 그녀가 절실했다. 하지만 그녀는 이 순간 진실을 말해야 했다. 그것이 유일한 조건이었다.

"이제 내게 솔직하게 대답해주게." 마침내 그가 용기를 내서 말했다. "자네는 운명의 상대와 함께하기 위해, 지금까지 내가 가르쳐주고 자네가 정진한 모든 것, 마법의 세계가 열어줄 모든 가능성과 신비를 포기할 수 있겠나?"

브리다는 눈길을 돌려 먼 곳을 바라보았다. 그녀는 산과 숲에 둘러싸여 있었고, 저기 아래 작은 마을에서는 불빛이 하나둘 켜지고 있었다. 굴뚝에서는 연기가 피어오르고, 곧 식구들이 옹기종기 식탁에 모여 저녁식사를 할 것이다. 그들은 정직하게 일했고, 신을 경외했고, 이웃을 도우려고 애썼다. 그 모든 것을 행하는 그들은 사랑이 무엇인지 알고 있다. 그들의 삶에는 이유가 있었고, 태양 전승이나 달 전승 같은 것은 들어본 적이 없어도 세상에서 일어나고 있는 일들을 이해할 수 있었다.

"제가 찾고자 하는 것과 제 행복 사이에는 아무런 모순도 없어요." 그녀가 말했다.

"내 질문에 답하게." 마법사의 두 눈이 그녀의 눈을 응시하고 있었다. "그 사람 때문에 모든 것을 포기할 텐가?"

브리다는 울음이 북받쳤다. 그것은 질문이 아니라 선택이었다. 살아가면서 내려야 할 가장 어려운 선택. 그 문제에 대해서는 이미 많이 생각했었다. 세상에서 자기 자신이 그 무엇보다 소중하던 시절이 있었다. 남자를 여럿 사귀었고, 그때마다 그 사랑이 영원할 거라고 믿었다. 하지만 결국 그 사랑은 끝이 나고 말았다. 그녀가 지금까지 알아온 모든 것 중에서 사랑이 가장 어려웠다. 현재 그녀는 몇 살 연상인 한 남자를 사랑하고 있다. 물리학을 전공하고, 그녀가 세상을 보는 것과는 완전히 다른 방식으로 세상을 보는 남자였다. 다시 그녀는 사랑을 믿고 그 감정에 자신을 온전히 던졌다. 하지만 너무 많은 실망을 맛본 탓에 이제는 그 어느 것도 확신할 수 없었다. 그럼에도, 사랑은 여전히 그녀의 삶에서 가장 큰 도박이었다.

브리다는 마법사의 눈길을 피했다. 그녀의 두 눈은 굴뚝에서 연기가 피어오르는 마을을 응시하고 있었다. 태초부터 모든 사람은 사랑을 통해 우주를 이해하려고 노력해오지 않았던가.

"저라면 포기하겠어요." 마침내 그녀가 말했다.

마주 앉아 있는 이 남자는 사람들의 마음속에 일어나는 일을 절대 이해하지 못할 것이다. 그는 마법의 힘과 신비를 알지만 사람에 대해서는 잘 알지 못한다. 머리는 하얗게 세고 피부는 햇볕에 그을렸고, 산을 오르내리는 데 익숙한 산사람의 모습이었다. 또한 해답이 가득 담겨 있는 영혼이 눈동자에 그대로 투영되는 매력적인 사람이었다. 이제 그는 평범한 인간적인 감정 때문에 또다시 실망하게 되리라. 그녀 역시 자기 자신에게 실망했지만, 그래도 거짓말을 할 수는 없었다.

"나를 보게." 마법사가 말했다.

브리다는 부끄러웠다. 하지만 그래도 그를 똑바로 바라보았다.

"자네는 진실을 말했네. 자네를 가르치겠네."

이제 완전히 밤이 내렸고, 달이 뜨지 않은 하늘에는 별들이 반짝이고 있었다. 두 시간 동안, 브리다는 이 낯선 남자에게 자신이 살아온 이야기를 들려주었다. 그녀는 자신이 마법에 관심을 가지게 된 계기—어린 시절에 본 환영과 전조, 내면의 부름 등—를 찾으려고 노력했지만 찾을 수가 없었다. 오직 알고 싶은 마음뿐이었고, 그게 전부였다. 그리고 그런 이유로 그녀는 점성술과 타로카드, 수비학(數秘學) 강좌에 자주 드나들었다.

"그것들은 그저 언어일 뿐이지." 마법사가 말했다. "또한 그것들은 유일한 언어도 아니야. 마법은 인간의 마음이 지닌 모든 언어로 말하네."

"그렇다면 마법은 무엇인가요?" 그녀가 물었다.

칠흑 같은 어둠 속에서도 브리다는 마법사가 얼굴을 돌리는 것을 알 수 있었다. 그는 생각에 잠긴 채 하늘을 우러러보았다. 아마도 답을 찾고 있는 것이리라.

"마법은 다리야." 마침내 그가 말했다. "눈에 보이는 세계에서 눈에는 보이지 않는 세계로 건너가게 하는 다리, 두 세계로부터 배움을 얻게 하는 다리."

"그렇다면 그 다리를 건너는 방법은 어떻게 배울 수 있죠?"

"그 다리를 건널 자신만의 방법을 찾으면서. 누구에게나 각자 자신만의 방법이 있네."

"그걸 찾으려고 제가 여기 온 거예요."

"두 가지 방법이 있네." 마법사는 계속했다. "우리를 둘러싼 만물과 공간을 통해 비의를 가르치는 태양 전승이 있어. 그리고 시간의 기억 속에 갇힌 모든 것과 시간을 통해 비의를 가르치는 달 전승이 있지."

브리다는 알아들었다. 태양 전승은 오늘 밤이고, 나무들이고, 그녀의 몸이 느끼는 추위이고, 하늘에 뜬 별들이었다. 그리고 달 전승은 오랜 옛날부터 전해내려오는 지혜의 빛으로 환히 빛나는 두 눈을 가진, 그녀 앞에 앉아 있는 이 남자였다.

"나는 달 전승을 배웠네." 마법사가 그녀의 생각을 읽기라도 한 듯 말했다. "하지만 나는 달 전승의 마스터가 되지는 못했어. 나는 태양 전승의 마스터네."

"제게 태양 전승을 가르쳐주세요." 브리다는 대답했다. 그녀는 마법사의 목소리에서 다정함 비슷한 감정을 느끼고는 약간 당황했다.

"내가 배운 것을 자네에게 가르쳐주겠네. 하지만 태양 전승에도 여러 갈래의 길이 있지. 그리고 각자 자기 안에 자신을 가르칠 수 있는 능력이 있음을 믿어야 해."

착각이 아니었다. 마법사의 목소리에는 정말로 다정함이 깃들어 있었다. 그것은 그녀를 안심시키는 게 아니라 오히려 두렵게 했다.

"저는 태양 전승을 이해할 능력이 있어요." 그녀가 말했다.

마법사는 별들을 바라보던 눈길을 거두고 젊은 여자를 뚫어져라 바라보았다. 그는 그녀가 아직 태양 전승을 배울 능력을 갖추지 못했다는 것을 알고 있었다. 그럼에도 그녀를 가르쳐야 할 것이다. 어떤 제자들은 마스터를 선택하기도 하는 법이다.

"최초의 가르침을 시작하기 전에 한 가지 당부하고 싶은 게 있네." 마법사가 말했다. "일단 길을 발견하게 되면 두려워해선 안 되네. 실수를 감당할 용기도 필요해. 실망과 패배감, 좌절은 신께서 길을 드러내 보이는 데 사용하는 도구일세."

"이상한 도구군요." 브리다가 말했다. "그 때문에 사람들은 포기하게 되잖아요."

마법사는 그녀의 의문을 이해했다. 그 자신도 육체와 영혼을 통해 신의 그 기이한 도구를 경험한 터였다.

"제게 태양 전승을 가르쳐주세요." 그녀가 끈질기게 졸랐다.

마법사는 브리다에게 바위 위에 누워 긴장을 풀라고 말했다.

"눈을 감을 필요는 없어. 주위의 세계를 둘러보면서 인지할 수 있는 것은 모두 인지하게. 태양 전승은 매 순간, 한 사람 한 사람에게 영원한 지혜를 드러내 보여주네."

마법사가 시키는 대로 하면서도, 브리다는 진도가 너무 빠르다는 생각이 들었다.

"이것이 첫번째 가르침이자 가장 중요한 과정이야." 그가 말했다. "믿음의 의미를 이해한 스페인의 한 신비주의자가 창안했지. 후안 데 라 크루스라는 사람이야."

마법사는 믿음을 가지고 정진하는 여자를 바라보았다. 그리고 마음속 깊이, 그녀가 자신의 가르침을 이해하기를 간절히 바랐다. 어쨌든, 그녀는 그의 소울메이트였다. 비록 그녀가 아직 그것을 알지 못한다 해도, 그녀가 아직 너무 어리다 해도, 아직 세속과 그곳의 사람들에게 매혹되어 있다 해도.

브리다는 어둠 속에서 마법사가 숲속으로 들어가 왼편의 나무들 사이로 사라지는 것을 지켜보았다. 거기 홀로 남겨지는 게 두려웠지만, 그녀는 가능한 한 긴장을 풀어보려 애썼다. 그것은 첫 가르침이었고, 절대 긴장한 모습을 보여서는 안 되었다.

'그가 나를 제자로 받아줬어. 실망시키면 안 돼.'

브리다는 자기 자신이 자랑스럽기도 했지만, 한편으론 이 모든 일이 순식간에 일어났다는 것이 놀라웠다. 자신의 능력이 의심스러워서가 아니었다. 그녀는 자부심을 가지고 있었고, 여기까지 도달한 스스로가 대견했다. 그녀는 확신했다. 그녀가 마법의 첫 가르침을 배울 자격이 있는지 지켜보기 위해 마법사가 바위산 어디에선가 그녀의 반응을 관찰하고 있을 거라고. 그는 용기에 대해, 그리고 두려움에 대해 말했다. 그녀의 의식 한구석에서, 자신이 누워 있는 바위 밑에 숨어 있을지도 모를 뱀이나 전갈의 모습이 떠오르기 시작했다. 그녀는 용기를 보여줘야 했다. 곧 그가 돌아올 것이다. 첫 가르침을 전하기 위해.

'나는 강하고 의지가 굳은 여자야.' 그녀는 나지막이 되뇌었다. 그는 사람들로부터 존경과 경외를 한몸에 받는 사람이었고, 그런 그와 자리를 함께한 것은 특권이나 다름없었다. 그녀는 그와 함께한 오후를, 그의 목소리에서 다정함을 느낀 순간을 떠올렸다. '나한테 관심이 있는지도 몰라. 어쩌면 나와 사랑을 나누고 싶은지도 모르지.' 나쁜 경험은 아닐 것이다. 분명 그의 눈에는 묘한 무언가가 담겨 있었다.

'무슨 바보 같은 생각이야!' 그녀는 깨달음의 길이라는 아주 구체적인 무언가를 찾아 이곳에 온 것이다. 그런데 문득 자신이 그저 한 사람의 여자일 뿐이라는 생각이 들었다. 그녀는 그런 생각은 더 하지 않으려고 애썼다. 그리고 그때쯤, 마법사가 그곳에 자기를 혼자 내버려둔 지 꽤 오랜 시간이 흘렀다는 생각이 들었다.

이제 공포가 느껴지기 시작했다. 그 남자에 관해서는 상반되는 풍문들이 있었다. 어떤 이들은 그가 생각만으로도 바람의 방향을 바꾸고 구름에 구멍을 내는, 세상에서 가장 강력한 마법사라고 했다. 모든 이들과 마찬가지로 브리다도 바로 그런 경이로운 능력에 매료되었다.

그렇지만 어떤 이들—마법의 세계를 가까이하고, 그녀와 함께 강좌를 듣는 사람들—은 그가 한때 남의 아내를 사랑해 마법의 힘으로 그녀의 남편을 해하려 한 적이 있는 흑마법사라고 했다. 그 때문에,

위대한 마스터임에도 불구하고 그가 숲속에서 고독하게 떠도는 징벌을 받고 있다고.

'어쩌면 고독 때문에 미쳐버렸는지도 몰라.' 그리고 브리다는 다시 공포를 느끼기 시작했다. 아직 젊었지만 그녀는 고독이 사람에게, 특히 나이가 많은 사람에게 미치는 폐해를 잘 알고 있었다. 더는 고독과 맞서 싸울 수 없어 삶의 모든 의욕을 잃어버리고 끝내 무너져버리는 사람들을 그녀는 보았다. 그들 대부분은 세상이 존엄도 영광도 없는 곳이라 여기며 밤낮으로 쉬지 않고 남의 잘못이나 헐뜯었다. 고독 때문에 그들은 세상의 재판관을 자처했고, 그 판결문을 듣고 싶어하는 사람들을 위해 사방에 그것을 뿌려댔다. 어쩌면 마법사는 고독으로 미쳤을 수도 있었다.

갑자기 옆에서 커다란 굉음이 들려와 그녀는 소스라쳤다. 심장이 마구 두방망이질했다. 좀전에 느꼈던 자신감은 이제 흔적조차 없었다. 그녀는 아무것도 보이지 않는 어둠 속에서 주변을 둘러보았다. 공포의 물결이 뱃속에서부터 솟구쳐올라 온몸으로 퍼져가는 듯했다.

'나 자신을 제어해야 해.' 그렇게 생각은 했시만 불가능했다. 뱀과 전갈들, 어릴 때 본 유령들이 그녀 앞에 모습을 드러내기 시작했다. 스스로 제어할 수 없을 만큼 그녀는 공포에 질려 있었다. 불현듯 하나의 이미지가 떠올랐다. 악마와 계약을 맺은 강력한 주술사가 번제(燔祭)로 그녀의 목숨을 바치는 장면이었다.

"어디 계세요?" 마침내 브리다는 소리를 질렀다. 이제 그녀는 누군가에게 깊은 인상을 남기는 것 따위는 안중에 없었다. 바라는 것은 오직 여기에서 벗어나는 것뿐이었다.

아무도 대답하지 않았다.

"여기서 나가고 싶어요! 살려주세요!"

하지만 들리는 것은 숲에서 울리는 기이한 소리들뿐이었다. 브리다는 두려움에 정신을 잃어 곧 기절할 것만 같았다. 하지만 그럴 수는 없었다. 이제 그가 멀리 있다는 게 확실해졌으니, 정신을 잃으면 상황만 악화될 뿐이었다. 정신을 바짝 차려야 했다.

그리고 그 생각과 더불어 그녀는 정신을 잃지 않기 위해 자기 안의 어떤 힘이 열심히 싸우고 있음을 깨달았다. '계속 소리만 지르고 있을 수는 없어.' 그것이 가장 먼저 든 생각이었다. 그녀의 비명은 숲에 사는 다른 남자들의 관심을 끌 수 있고, 숲에 사는 남자들이 들짐승보다 훨씬 위험할 수도 있었다.

"내게는 믿음이 있어." 그녀가 낮은 목소리로 되뇌었다. "나를 이곳까지 이끌어주시고 나와 함께하는 신과 수호천사에 대한 믿음이 있어. 천사가 어떻게 생겼는지는 알 수 없지만, 그가 여기 가까이 있다는 걸 알아. 행여 내가 돌부리에 발을 다치지 않도록."

마지막 말은 어린 시절에 배운 성서 속 「시편」의 한 구절이었다. 이 말을 떠올린 것도 정말 몇 년 만이었다. 얼마 전 돌아가신 할머니는 그녀에게 「시편」을 가르쳐주었다. 그 순간 그녀는 할머니가 옆에 함께 계시다면 얼마나 좋을까 생각했고, 그러자 바로 다정한 존재감이 느껴졌다.

그녀는 위험과 두려움 사이에 커다란 차이가 있다는 것을 깨닫기 시작했다.

'지존하신 분의 거처에 몸을 숨기는 사람아……' 「시편」의 구절은 그렇게 시작했다. 마치 그 순간 할머니가 그녀 곁에서 읽어주듯이, 단어 하나하나가 오롯이 떠올랐다. 그녀는 쉬지 않고 한참을 열심히 외웠다. 무섭기는 했지만, 그럼에도 마음이 고요해지는 게 느껴졌다. 그때 그녀에게는 선택의 여지가 없었다. 신을 혹은 자신의 수호천사를 믿거나, 아니면 절망에 빠져 무너지거나, 둘 중 하나였다.

어떤 존재가 자신을 지켜주고 있다는 느낌이 들었다. '이 존재를 믿어야 해. 설명할 수는 없지만 여기 존재하는 건 확실해. 나와 오늘 밤새도록 함께 있어줄 거야. 나 혼자서는 여길 빠져나갈 줄 모르니까.'

어린 시절 브리다는 한밤중에 자주 두려움에 떨며 잠에서 깼다. 그러면 아버지는 그녀를 창가로 데려가, 그들이 살고 있는 도시를 보여주었다. 그리고 야간 경비원들과 이른 시각부터 우유를 배달하고 있는 우유배달원, 매일 그날 먹을 빵을 굽고 있는 제빵사들의 이야기를 들려주었다. 그리고 그녀에게 말했다. 그녀가 밤새 상상한 괴물들을 쫓아내고, 그 자리에 어둠 속을 지키는 그런 사람들을 채워넣으라고. 아버지는 말했다. "밤은 하루의 일부에 불과하단다."

밤은 하루의 일부에 불과했다. 그녀는 빛의 보호를 받고 있음을 느끼듯이, 어둠의 보호를 받고 있다고 느낄 수도 있다. 어둠이 있기에 어떤 존재에게 가호를 부탁할 수 있는 것이다. 그것을 신뢰해야 했다. 그리고 그런 신뢰가 바로 믿음이었다. 아무도 믿음이라는 것을 온전히 이해할 수는 없으리라. 믿음은 지금 그녀가 경험하고 있는 것, 아무런 설명도 없이 이렇게 어두운 밤 속에 가라앉아 있는 것과 다르지 않다. 믿음은 오로지 사람들이 믿기 때문에 존재한다. 기적이, 설명이 불가능함에도 그것을 믿는 사람들에게 일어나는 것처럼.

'그가 첫번째 가르침이라고 하면서 무언가 말했었어.' 브리다는 불현듯 깨달았다. 그녀를 보호해주는 존재가 거기 있었다. 그녀가 그것이 거기 있다고 믿었기 때문에.

몇 시간 동안 긴장해서인지 피로가 느껴지기 시작했다. 그녀는 다시 긴장을 풀었고, 그러면서 매 순간 자신이 보호받고 있음을 더욱더 느낄 수 있었다.

그녀에게는 믿음이 있었다. 그리고 그 믿음은 전갈과 뱀이 다시금 숲에 우글거리도록 허락하지 않을 것이다. 그 믿음이 그녀의 수호천사로 하여금 깨어 그녀를 지키도록 할 것이다.

그녀는 다시 바위 위에 드러누웠고, 자기도 모르는 새에 잠이 들었다.

그녀가 깨어났을 때, 날은 이미 밝아 아름다운 태양이 주위를 붉게 물들이고 있었다. 약간 쌀쌀했고 옷이 좀 더러워지기는 했지만 그녀의 영혼은 기쁨으로 가득했다. 그녀 혼자서, 숲속에서 하룻밤을 보낸 것이다.

그녀는 소용없으리라는 걸 알면서도 마법사를 찾아 주위를 두리번거렸다. 그는 '신과 대화하기 위해' 숲속 어딘가를 거닐고 있을 터였다. 그리고 어젯밤 찾아온 여자에게 태양 전승의 첫 가르침을 배울 용기가 있는지 궁금해하고 있을 터였다.

"나는 '어두운 밤'을 배웠어요." 이제 고요해진 숲을 향해 그녀가 말했다. "신을 찾는 것이 어두운 밤이라는 걸 배웠어요. 그리고 '믿음'이 어두운 밤이라는 것도요.

놀라운 일도 아니죠. 인간의 하루하루가 어두운 밤인걸요. 일 분 후 어떤 일이 벌어질지 아무도 몰라요. 그런데도 사람들은 앞으로 나아가잖아요. 신뢰하기 때문이에요. 믿음이 있기 때문이죠."

아니 어쩌면, 일 분 후의 다음 순간이 품고 있는 비의를 지각하지 못해서일 수도 있다. 하지만 그런 건 조금도 중요하지 않았다. 중요한 것은, 자신이 그걸 깨달았음을 아는 것이었다.

인생의 매 순간이 믿음의 행위임을 아는 것.

그 순간순간을 뱀과 전갈로 채우거나, 혹은 자신을 보호해주는 힘으로 채울 수 있음을 아는 것.

믿음은 설명될 수 없음을 아는 것. 믿음은 어두운 밤이었다. 그 믿음을 받아들이느냐, 마느냐뿐이었다.

브리다는 손목시계를 보고는 시간이 꽤 흘렀음을 알았다. 버스를 타고 세 시간을 가면서 남자친구에게 할 그럴듯한 설명을 생각해두어야 했다. 그녀가 숲속에서, 그것도 혼자 밤을 꼬박 새웠다는 말은 절대 믿지 않을 것이다.

"태양 전승, 이거 너무 어렵네요!" 그녀는 숲을 향해 소리 질렀다. "내가 나 자신의 마스터가 돼야 한다니, 내가 생각했던 건 이런 게 아니라고요!"

그녀는 저 아래 펼쳐진 작은 마을을 바라보며 숲을 지나 돌아가는 길을 머릿속으로 더듬어보고는 걷기 시작했다. 하지만 그전에, 다시 한번 바위 쪽을 돌아보았다.

"이 말도 하고 싶어요." 그녀가 경쾌하고 밝은 목소리로 소리쳤다. "당신은 아주 재미있는 남자예요."

마법사는 고목 둥치에 등을 기댄 채, 젊은 여자가 숲속으로 사라지는 모습을 지켜보았다. 그는 지난밤 그녀의 두려움에 귀 기울였고, 그녀가 내지른 비명도 들었다. 한순간, 그녀에게 다가가 그녀를 꼭 끌어안아주고 두려움에서 지켜주고 그녀에겐 그런 도전이 필요하지 않다고 말해주고 싶기도 했다.

지금 그는 그러지 않았다는 것에 마음이 흡족했다. 그리고 그녀가 젊음의 혼돈 한가운데 있음에도 자신의 소울메이트라는 게 자랑스러웠다.

더블린 시내에는 좀더 심화된 단계의 신비주의 서적들만을 전문적으로 취급하는 서점이 하나 있다. 신문이나 잡지에 광고를 하거나 기사가 난 적은 없지만, 사람들은 지인의 추천으로 그곳을 찾아왔고, 서점 주인은 선택받은 특별한 고객들이 찾아온다는 것에 만족했다.

그런데도 서점은 늘 북적였다. 브리다는 그 서점에 대한 소문을 듣고도 한참 후에야 수강하던 천체운행 강좌의 강사를 통해 마침내 그곳의 주소를 알게 되었다. 어느 날 오후, 그녀는 퇴근하고 그 서점에 들렀다가 그곳에 반해버렸다.

그날부터 그녀는 시간이 날 때마다 책을 보러 그곳에 들렀다. 하지만 모두 수입서적이었고 꽤 높은 가격이라 그냥 보기만 했다. 그녀는 책들을 대강 들춰보면서, 몇몇 책에 수록되어 있는 그림과 상징들을 눈여겨보며 그 안에 축적된 모든 지식들이 자신에게 보내오는 떨림을 직관적으로 느꼈다. 마법사를 만나 그 일을 겪은 후, 그녀는 많이 신중해져 있었다. 때로는 자신이 이미 깨닫고 있는 것을 이렇게밖에 만날 수 없다는 사실에 한탄했다. 자신이 이번 생에서 뭔가 중요한 것을 놓치고 있다고 느꼈고, 이대로는 비슷비슷한 경험만 반복할 것만 같은 예감이 들었다. 하지만 변화할 용기는 생기지 않았다. 아직은 자신의 길을 바라보고만 있었다. 어두운 밤이 무엇인지 알게 된 지금, 자신이 그곳에 다시 가고 싶어하지 않는다는 걸 그녀는 알고 있었다.

그런 자신에게 때로 불만이 일었지만, 그녀는 자기의 한계를 도무지 넘어설 수가 없었다.

책은 좀더 안전했다. 책장에는 수백 년 전에 쓰인 개론서들의 복간본들이 가득 꽂혀 있었다. 그 분야에서 감히 새로운 것을 제시하는 위험을 감수하는 이들은 극소수였다. 책갈피 사이에 담긴 신비로운 지혜는 어딘가 머나먼 곳에서, 그 신비를 밝히기 위해 세대를 거듭해 안간힘을 써온 인간들의 노력에 미소 짓고 있는 듯했다.

책 외에도 브리다가 그곳을 자주 드나드는 중요한 이유가 또 있었다. 그녀는 그곳에 오는 사람들을 눈여겨보았다. 때로는 연금술에 관한 훌륭한 개론서를 넘겨보는 척하면서 거기 오는 이들을 훔쳐보았다. 그들은 대부분 그녀보다 나이가 많았고, 자신이 원하는 책이 무엇이고 그것이 어디 꽂혀 있는지 훤히 알고 있었다. 그녀는 그들이 각자의 개인적인 삶에서 어떤 사람들일지 상상해보았다. 때로 그들은 평범한 인간들이 알지 못하는 영력과 능력을 가진 현자처럼 보였다. 또 때로는, 아주 오래전에 잊어버렸으나 그것 없이는 생의 의미가 없는 해답을 되찾으려는 듯 절박해 보이기도 했다.

브리다는 가장 자주 오는 단골들이 언제나 서점 주인과 이런저런 이야기를 나누는 것도 눈여겨보았다. 달의 형상이라든가 돌의 특성, 의식 용어를 정확히 어떻게 발음할 것인가 하는 등의 기이한 주제에 관한 이야기들이었다.

어느 날 오후, 브리다는 자기도 그렇게 해보기로 마음먹었다. 퇴근길이었고, 모든 일이 순조로운 하루였다. 이런 일진을 놓치지 말아야겠다는 생각에서였다.

"비밀 조직이 있다는 거 알고 있어요." 그녀가 입을 열었다. 대화의 시작으로 나쁘지 않다는 생각이 들었다. 그녀는 무언가를 '알고 있었다'.

하지만 서점 주인은 계산대에서 잠깐 고개를 들고 놀란 눈으로 그녀를 바라볼 뿐이었다.

"사람들이 말하는 숲속의 마법사를 만났어요." 브리다는 어떻게 말을 이어가야 할지 몰라 약간 당황했다. "그분이 '어두운 밤'에 대해 말씀해주셨어요. 지혜의 길은 실수를 두려워하지 않는 거라고요."

그녀는 이제 서점 주인이 자신의 말에 관심을 보인다는 것을 알아챘다. 마법사가 그녀에게 무언가를 가르쳐주었다면, 그건 그녀가 특별한 사람이기 때문이다.

"길이 어두운 밤이라는 걸 안다면, 왜 책을 보러 온 거죠?" 마침내 그가 물었고, 그녀는 마법사를 끌어들인 게 별로 좋은 생각이 아니었다는 걸 깨달았다.

"그런 방법으로는 배우고 싶지 않거든요." 그녀는 대답했다.

서점 주인은 눈앞에 서 있는 젊은 여자를 유심히 바라보았다. 그녀에게는 재능이 있었다. 하지만 그렇다 해도 숲속의 마법사가 그런 관심을 보였다는 게 이상했다. 분명 다른 이유가 있을 것이다. 거짓말일 수도 있지만, 어쨌든 그녀는 '어두운 밤'을 이야기했다.

"우리 가게에 자주 오시더군요." 그가 말했다. "가게에 들어와서 모든 책들을 들춰보지만 한 권도 사지는 않았지요."

"비싸서요." 브리다는 서점 주인이 계속 대화를 이어가고 싶어한다는 인상을 받았다. "하지만 다른 책들을 읽었어요. 수업도 여러 개 들었고요."

그녀는 혹시 그가 더 깊은 인상을 받지 않을까 싶어 강사들의 이름을 열거했다.

하지만 또다시 상황은 그녀의 기대와는 다르게 흘러갔다. 서점 주인은 그녀의 말을 끊고, 향후 백 년 동안의 행성 위치가 수록된 연감이 입고되었는지 묻는 손님에게로 주의를 돌렸다.

서점 주인은 계산대 아래에 쌓여 있는 소포 더미들을 뒤지기 시작했다. 브리다는 소포들에 붙어 있는 세계 각국의 우표들을 눈여겨보았다.

그녀는 점점 더 안절부절못하고 있었다. 애초의 용기는 온데간데없었다. 하지만 손님이 책을 받고, 돈을 내고, 거스름돈을 받은 후 떠날 때까지 기다리는 수밖에 없었다. 비로소 서점 주인이 그녀 쪽으로 몸을 돌렸다.

"그러니까, 어떻게 계속해야 할지 모르겠어요." 브리다가 말했다. 그녀의 눈시울이 점점 붉어지고 있었다.

"당신이 잘하는 것이 무엇인가요?" 그가 물었다.

"내가 믿는 바를 좇는 거요." 이 대답 말고는 없었다. 그녀는 자신이 믿는 것을 좇아 달리며 살아왔다.

문제는, 매일 다른 것을 믿는다는 데 있었다.

서점 주인이 계산하는 데 쓰는 종이 위에 이름을 하나 적었다. 그러고는 그 부분을 찢어 자기 손에 쥐었다.

"주소 하나를 드리죠." 그가 말했다. "사람들이 마법의 경험을 자연스레 받아들이던 시절이 있었지요. 그때는 사제들도 없었어요. 그리고 신비로운 비의를 좇는 사람들도 없었지요."

브리다는 그가 자기를 빗대어 이야기하는 것인지 아닌지 알 수 없었다.

"마법이 무엇인지 알아요?" 그가 물었다.

"다리요. 보이는 세계와 보이지 않는 세계를 이어주는."

서점 주인이 그녀에게 종이를 건네주었다. 전화번호와 이름 하나가 적혀 있었다. 위카.

브리다는 얼른 그 종이를 받아들고는 고맙다고 인사한 후 서점 문을 향했다. 문에 이르러 그녀는 서점 주인을 돌아보았다.

"나는 마법이 여러 언어로 말한다는 것을 알아요. 거기엔 서점 주인의 언어도 포함되는데, 서점 주인들은 까다로운 것처럼 굴지만 실은 너그럽고 쉽게 다가갈 수 있는 사람들이죠."

그녀는 서점 주인에게 입맞춤을 보낸 후 문 뒤로 사라졌다. 서점 주인은 계산을 멈추고 가게 안을 한참 동안 바라보며 생각에 잠겼다. '숲속의 마법사가 이런 것들을 가르쳤군.' 하지만 아무리 뛰어난 재능이라 해도, 이 정도로 마법사의 관심을 끌 수는 없다. 분명 다른 이유가 있다. 위카라면 그것이 무엇인지 알아낼 수 있으리라.

이제 서점 문을 닫을 시간이었다. 최근 들어 서점을 찾아오는 고객층이 바뀌기 시작했다. 점점 더 젊은 사람들이 찾아오고 있었다. 서점 책장들을 가득 채운 오래된 개론서들이 말하듯, 결국 모든 것은 출발점으로 돌아가게 되어 있었다.

그 낡은 건물은 시내 중심가의, 이제는 19세기의 낭만을 찾는 관광객들이나 드나드는 그런 곳에 있었다. 브리다는 만나주겠다는 위카의 결정을 일주일이나 기다려야 했고, 지금 애써 흥분을 감추며 신비로운 회색 건물 앞에 와 있다. 그녀가 생각했던 것과 꼭 들어맞는 건물이었다. 확실히 그 서점을 드나드는 사람들이 살 법한 그런 곳이었다.

건물에는 엘리베이터가 없었다. 그녀는 도착했을 때 헐떡거리지 않으려고 계단을 천천히 올라갔다. 그리고 사층에 다다르자, 그 층에 하나뿐인 문의 초인종을 눌렀다.

개 한 마리가 안에서 짖어댔다. 잠시 후, 옷을 잘 차려입고 진지한 분위기를 풍기는 마른 체구의 여자가 나와서 그녀를 맞았다.

"전에 전화드렸던 사람입니다." 브리다가 말했다.

위카가 들어오라는 손짓을 했고, 브리다는 벽과 테이블마다 현대

미술품들로 장식되어 있는 새하얀 응접실에 들어섰다. 흰색 커튼이 햇빛을 차단하고 있었다. 응접실은 소파와 테이블, 책이 가득 꽂힌 책장이 조화롭게 배치되어 여러 공간으로 분리되어 있었다. 모든 것이 상당히 고급스러운 취향으로 꾸며져 있어서 브리다는 가판대에서 가끔 뒤적이던 건축 관련 잡지들이 떠올랐다.

'돈깨나 들였겠는걸.' 그녀의 머릿속에 떠오른 생각이었다.

위카는 커다란 거실 한구석으로 브리다를 이끌었다. 가죽과 금속제의 이탈리아 디자인 소파 두 개가 놓여 있었다. 두 사람 사이에도 역시 금속 다리가 달린 나지막한 유리 테이블이 놓여 있었다.

"아주 젊군." 마침내 위카가 말했다.

발레리나니 뭐니 하며 말을 꺼내는 수고를 들일 필요도 없을 것 같았다. 브리다는 다음 얘기를 기다리면서 아무 말도 하지 않았고, 그러는 동안 이렇게 오래된 건물에 이런 현대적인 분위기가 어울리는 이유가 뭔지 상상해보려 애썼다. 깨달음을 찾아나선다는 낭만적인 생각은 어느새 사라지고 없었다.

"그가 전화했어." 위카가 말했다. 브리다는 서점 주인을 말하는 거라고 생각했다.

"저는 마스터를 찾아왔어요. 마법의 길을 걷고 싶습니다."

위카는 여자를 바라보았다. 확실히 이 여자에게는 재능이 있었다. 하지만 숲속의 마법사가 왜 그녀에게 그토록 관심을 보이는지 알고 싶었다. 재능은 그 자체만으로는 충분치 않다. 숲속의 마법사가 마법의 초심자라면 그녀의 재능이 드러내는 빛에 깊은 인상을 받았을 수도 있다. 하지만 그는 경험이 풍부한데다, 누구에게나 한 가지씩은 재능이 있다는 것 정도는 충분히 알고 있었고, 이 정도 재능에 민감하게 반응할 때는 이미 지났을 터였다.

위카는 일어나 책장 쪽으로 가더니, 자기가 좋아하는 카드 한 벌을 집어들었다.

"카드를 놓을 줄 아나?" 그녀가 물었다.

브리다는 고개를 끄덕였다. 몇 가지 수업을 들은 적이 있어서 그녀의 손에 들린 카드가 일흔여덟 장짜리 타로카드라는 건 알 수 있었다. 타로카드를 놓는 몇 가지 방법을 배운 터라 자신의 지식을 보여줄 기회가 생겨 반가웠다.

하지만 위카는 그대로 카드를 쥐고 있었다. 그리고 그것을 골고루 섞더니 그림이 있는 쪽을 아래쪽으로 향하게 하여 유리테이블 위에 올려놓았다. 그녀는 카드를 온통 뒤죽박죽으로 펼쳐놓은 채 그저 바라보기만 했다. 브리다가 수업에서 배운 방식들과는 전혀 달랐다. 한참 후, 그녀가 낯선 언어로 뭐라고 몇 마디 중얼거리더니, 테이블 위에 펼쳐놓은 카드들 중 딱 한 장을 뒤집었다.

23번 카드였다. 곤봉을 든 왕.

"든든한 보호를 받고 있군." 그녀가 말했다. "까만 머리카락을 한, 강한 권력자의 보호를 받고 있어."

그녀의 남자친구는 강하지도 않고 권력자도 아니다. 그리고 마법사는 머리가 허옜다.

"겉모습을 말하는 게 아냐." 그녀의 생각을 읽기라도 한 듯 위카가 말했다. "네 소울메이트를 생각해봐."

"소울메이트가 뭔데요?" 브리다는 여자에게서 깊은 인상을 받았다. 신비로운 존경심을 자아내는 여자였다. 마법사나 서점 주인과는 사뭇 다른 느낌이었다.

위카는 질문에 대답하지 않았다. 그녀는 카드를 모아 섞더니, 다시 테이블 위로 어지러이 흩어놓았다. 그런데 이번에는 카드 그림들이 모두 위를 향해 있었다. 무질서한 혼돈으로밖에 보이지 않는 카드 더미 한복판에 놓인 것은 11번 카드였다. '힘'이었다. 사자의 아가리를 벌리고 있는 여자.

위카는 그 카드를 집어 브리다에게 들고 있으라고 했다. 브리다는 영문을 모른 채 카드를 받아들었다.

"이전 생의 현신(現身)에서도 너의 가장 강한 면은 언제나 여자였군." 여자가 말했다.

"소울메이트가 뭔가요?" 브리다가 고집스럽게 물었다. 그녀에 대한 첫번째 도전이었다. 비교적 소심한 도전이긴 했지만.

위카는 잠시 침묵을 지켰다. 마음 깊은 곳에서 의구심이 솟아올랐다. 마법사는 왜 이 여자아이에게 소울메이트에 대해서 가르쳐주지 않았을까. '어리석기는.' 그녀는 속으로 중얼거렸다. 그러고는 그 생각은 젖혀놓았다.

"소울메이트란 달 전승을 따르는 사람들이 가장 먼저 배우는 거야." 그녀가 대답했다. "소울메이트를 이해하는 것만으로도 수백 년의 시간을 걸쳐 지식이 전승될 수 있다는 걸 이해할 수 있지."

그녀의 설명이 이어지는 동안 브리다는 잔뜩 긴장한 채 아무 말 없이 귀를 기울였다.

"우리는 영원해. 우리는 신의 현현(顯顯)이기 때문이지." 위카가 말했다. "바로 그렇기 때문에 우리는 아무도 모르는 곳에서 출발해서 수많은 삶과 죽음을 거치며 알 수 없는 곳을 향해 가는 거야. 마법에는 설명할 수도 없고 영원히 설명되지 않을 현상들이 많다는 것에 익숙해져야 해. 신께서는 어떤 방식들로 어떤 일들을 행하기로 결심한 거고, 그분이 그렇게 하는 이유는 오직 그분만이 아는 비밀이지."

'믿음의 어두운 밤.' 브리다는 생각했다. 그 밤은 달 전승에도 존재하고 있었다.

"그래서 이런 일들이 일어나지." 위카가 계속 말을 이었다. "윤회를 생각하면, 아주 어려운 문제 하나와 맞닥뜨리게 돼. 처음엔 세상에 아주 적은 수의 인간들만 있었는데 오늘날에는 어찌하여 이렇게 많은 수가 있고, 이 새로운 영혼들은 다 어디서 왔을까?"

브리다는 숨을 죽이고 기다렸다. 이미 여러 차례 자신에게 했던 질문이었다.

"대답은 간단해." 위카는 젊은 여자의 조바심을 얼마간 음미하고는 입을 열었다. "우리는 몇 차례의 윤회를 통해 나뉘지. 크리스털과 별이 쪼개지듯이, 세포와 식물이 분열하듯이 우리의 영혼도 분화되는 거야.

우리의 영혼이 둘로 나뉘고, 그 새로운 영혼들이 또다시 둘로 나뉘고. 그렇게 세대를 거쳐오면서 우리는 세상 곳곳으로 널리 퍼지게 돼."

"그렇다면 그 분화된 부분들 중 단 하나만이 원래 그 주인의 의식을 가지게 되는 건가요?" 브리다가 물었다. 묻고 싶은 것이 많았다. 하지만 차례대로 하나씩 물어야 했고, 이 질문이 지금 그녀가 생각하기에는 가장 중요한 질문이었다.

"우리는 연금술사들이 '아니마 문디', 즉 '세상의 영혼'이라 부르는 것의 일부를 이루고 있지." 위카는 브리다의 질문에는 대답하지 않고 이야기를 계속했다. "사실, 아니마 문디가 분화만 계속한다면 그 수는 늘어나겠지만, 또 그만큼 점점 약화되기도 해. 그래서 우리는 그렇게 나뉘는 것처럼, 다시 또 서로 만나게 되는 거야. 그리고 그 재회를 '사랑'이라 부르지. 영혼이 분화할 때 언제나 남자와 여자로 나뉘기 때문이야. 창세기에서도 말하고 있잖아. '아담의 영혼이 둘로 나뉘어 그에게서 하와가 태어났다.'"

위카는 불현듯 말을 멈추더니, 테이블 위에 흩어져 있던 카드들을 한참 바라보았다.

"참 많기도 하지." 그녀가 말을 이어갔다. "하지만 모두 한 벌을 이루고 있어. 카드들이 말하고자 하는 메시지를 이해하려면 모든 카드가 한 장도 빠짐없이 필요하지. 모든 카드가 똑같이 중요해. 영혼 역시 마찬가지야. 우리 인간은 이 한 벌의 카드들처럼 모두 하나로 연결되어 있어.

매번 삶을 살아가면서, 우리는 다시 만나야 한다는 신비로운 사명을 지니지. 적어도 나뉜 조각들 중 하나는 꼭 만나야 해. 그것을 여러 조각으로 나눈 '위대한 사랑'은 그것들을 다시 하나로 결합하는 '사랑'에 기쁨을 느끼지."

"그렇다면 자신의 소울메이트는 어떻게 알아보나요?" 브리다는 이것이야말로 자기 생을 통틀어 가장 중요한 질문이라고 생각했다.

위카가 웃었다. 그녀 역시 앞에 있는 여자아이처럼 조바심에 사로잡혀 그렇게 물은 적이 있었다. 눈빛을 보고도 소울메이트를 알아볼 수 있었다. 유사 이래 사람들은 그렇게 자신의 진정한 사랑을 알아보았다. 달 전승에는 다른 방법이 있었다. 소울메이트를 만나면 그의 왼쪽 어깨 위로 빛나는 한 점이 보인다. 하지만 그 방법은 아직 그녀에게 말해주지 않을 생각이었다. 어쩌면 그녀가 그것을 보는 법을 배울 수도 있고, 못 배울 수도 있다. 그 대답은 곧 얻게 되리라.

"위험을 감수함으로써." 그녀가 브리다에게 말했다. "실패와 실망, 좌절의 위험을 감수함으로써. 하지만 사랑을 찾는 걸 절대로 포기해선 안 돼. 찾기를 멈추지 않는다면 성공할 거야."

브리다는 마법사가 마법의 길에 대해 이야기할 때 이와 비슷한 말을 했던 것을 떠올렸다. '어쩌면 결국 둘 다 같은 얘기일 수도 있지.'

위카가 테이블 위의 카드들을 챙기기 시작했다. 브리다는 이제 시간이 다 되었다고 느꼈다. 하지만 아직 더 묻고 싶은 것이 있었다.

"한 번의 삶에서 소울메이트를 한 명 이상 만날 수도 있나요?"

'그래.' 위카는 씁쓸한 마음으로 생각했다. '그리고 그런 일이 일어나면 마음은 찢어지고 아픔과 상처가 남지. 그래, 우리는 한 생에서 서너 명의 소울메이트도 만날 수 있어. 우리의 수는 많고, 온 세상에 흩어져 있으니까.'

젊은 여자가 정확한 질문을 던졌고, 그녀는 이 상황을 모면해야 했다.

"창조의 정수(精髓)는 오직 하나야." 그녀가 말했다. "그리고 그 정수를 사랑이라 부르지. 사랑은 세상 곳곳에 여러 개로 흩어져 있는 삶의 경험을 응축시키기 위해, 우리를 다시 하나로 모으려는 힘이야.

우리는 대지 전체에 책임이 있어. 태초부터 우리 자신이었던 다른 조각들이 어디에 흩어져 살고 있는지 알지 못하기 때문이지. 그 조각들이 잘 지내고 있을 때, 우리 역시 행복해. 하지만 그들이 잘 지내지 못한다면, 우리는 무의식적으로나마 희미하게 고통을 느끼게 돼. 하지만 무엇보다도 우리는 각각의 윤회한 삶에서 적어도 한 번은 소울메이트를 만나야 하는 책임이 있어. 살아가면서 반드시 그 소울메이트와 마주치게 되어 있거든. 그 순간이 잠시 잠깐일지라도. 하지만 그 순간은 우리의 남은 생을 정당화해줄 만큼 강렬한 사랑을 가져다주지."

부엌에서 개가 짖어댔다. 위카는 테이블 위의 카드들을 다 정리하고는 브리다를 다시 한번 바라보았다.

"또한 우리의 소울메이트를 받아들이지도, 발견하지도 못한 채 그대로 지나쳐 보낼 수도 있어. 그러면 우리는 그 소울메이트를 만나기 위해 한 번 더 윤회를 거듭해야 해.

그리고 우리의 이기심으로 우리 스스로가 빚어낸 최악의 벌을 받아야 하지. 고독이라는 벌을."

위카가 일어나 문까지 브리다를 배웅해주었다.

"당신은 소울메이트에 대해 알기 위해 이곳에 온 게 아니야." 위카가 헤어지기 전에 말했다. "당신에겐 재능이 있어. 그리고 내가 그 재능이 무엇인지 알아낸다면, 당신에게 달 전승을 가르쳐줄 수도 있을 거야."

브리다는 그 말에 무언가 특별한 게 담겨 있다고 생각했다. 그렇다고 믿고 싶었다. 극소수의 사람들에게서만 느낄 수 있었던 존경심을 위카에게서 느꼈기 때문이었다.

"최선을 다할게요. 달 전승을 배우고 싶습니다."

'달 전승이라면 어두운 숲에서 홀로 밤을 샐 일은 없겠지.' 브리다는 생각했다.

"잘 들어, 아가씨." 위카가 진지하게 말했다. "오늘부터 매일, 같은 시간을 골라 혼자서 테이블 위에 타로카드들을 펼쳐봐. 그냥 아무렇게나 펼쳐놓고, 아무것도 이해하려고 하지 마. 그저 카드만 바라보는 거지. 때가 되면 카드들이 그 순간 당신이 알고 싶어하는 것을 모두 알려줄 거야."

'태양 전승이랑 비슷한데? 스스로를 가르치라는 이야기잖아.' 브리다는 계단을 내려가면서 생각했다. 그리고 버스를 타고 나서야 그 여자가 말한 '재능'에 생각이 미쳤다. 하지만 그 얘기는 다음에 만나서 하면 될 일이었다.

일주일 동안 브리다는 하루 삼십 분씩 응접실 테이블 위에 카드들을 펼쳐놓았다. 밤 열시에 잠자리에 들면서, 새벽 한시에 일어날 수 있도록 자명종을 맞춰두었다. 그녀는 일어나면 얼른 커피를 끓이고 자리에 앉은 다음, 카드의 신비스러운 언어를 이해하려고 애쓰면서 카드들을 골똘히 응시했다.

첫날밤은 흥분으로 가득했다. 브리다는 위카가 일종의 비밀의식을 전수해준 거라고 굳게 믿고 그녀가 했던 것과 똑같이 카드들을 펼쳐놓으려고 애썼다. 결국 신비로운 메시지들은 곧 그 모습을 드러낼 거라 믿었다. 그러나 삼십 분이 지나고 나면, 자신의 상상력의 산물이라 여겨지는 소소한 계시 몇 개를 제외하고는 특별한 일은 전혀 일어나지 않았다.

브리다는 이튿날 밤에도 똑같이 반복했다. 위카는 카드들이 이야기를 들려줄 거라고 말했고, 그녀가 들었던 수업에서 들은 내용으로 판단해보면, 그것은 삼천 년도 더 전부터 내려오는 이야기, 즉 인간이 지혜의 원류와 좀더 가까웠던 시절에서부터 전해져오는 이야기일 것이다.

'그림 자체는 아주 단순해 보여.' 그녀가 생각했다. 사자의 아가리를 열고 있는 여자, 신비스러운 동물 두 마리가 끄는 마차, 물건들이 잔뜩 쌓인 탁자 앞에 앉은 남자. 그녀는 이 카드 한 벌이 한 권의 책이나 다름없다고 배웠다. 인생이라는 여정에서 인간이 맞닥뜨리기 마련인 커다란 변화들을 '신성한 지혜'가 기록해둔 책. 하지만 그 책의 작가는 인간이 선보다는 악을 먼저 떠올린다는 걸 알고는, 여러 세대를 거쳐 그 책이 놀이라는 형태로 바뀌어 전해지게끔 만들었다. 카드는 신들의 창작물이었다.

'이렇게 단순할 리가 없어.' 테이블 위에 카드들을 펼칠 때마다 브리다는 생각했다. 그녀는 난해한 방법과 정교한 시스템을 배웠기 때문에, 아무렇게나 펼쳐진 카드들을 보니 머릿속이 혼란스러워졌다. 엿새째 되는 날 밤에는 화가 나서 카드들을 바닥에 내동댕이쳐버리고 말았다. 한순간 그런 행동이 마법적인 영감을 불러일으킬지도 모른다고 생각했지만, 여전히 아무 일도 일어나지 않았다. 뭐라 정의할 수는 없었지만 직관적으로 읽어낼 수 있는 몇 가지가 있었다. 하지만 그녀는 언제나 그것이 자신의 상상력의 산물이라고 생각했다.

그런 일을 반복하는 동안에도 소울메이트에 대한 생각은 한시도 떠나지 않았다. 처음에는 마치 사춘기 시절로 돌아간 것만 같았다. 유리구두의 주인을 찾기 위해, 혹은 잠자는 숲속의 공주에게 키스하기 위해, 산과 계곡을 넘어야 하는 마법에 걸린 왕자의 꿈을 꾸던 시절로. "소울메이트라니, 동화에나 나오는 얘기잖아." 그녀는 웃으면서 중얼거렸다. 하지만 동화의 세계야말로 지금 그녀가 들어가고 싶어 안달이 난 마법의 세계로 향하는 첫 경험이었다. 그녀는 사람들이 어린 시절 그 세계에서 황홀한 즐거움을 느꼈다는 걸 알면서도 왜 끝내 그곳에서 멀어지고 마는지 혼자서 여러 차례 질문을 던져보았다.

'어쩌면 그 즐거움에 만족하지 못하는 것일지도.' 그녀는 그것이 뭔가 부조리하다고 생각하면서도 참신한 생각인 양 일기장에 적어넣었다.

일주일 내내 머릿속이 온통 소울메이트에 대한 생각뿐이던 브리다는 결국 점차 끔찍한 느낌에 사로잡히고 말았다. 잘못된 남자를 선택하면 어쩌지? 아흐레째 되는 날 밤, 별 소득도 없는 타로카드 명상을 위해 잠자리에서 일어나면서, 그녀는 다음 날 남자친구에게 함께 저녁을 먹자고 해야겠다고 마음먹었다.

그녀는 비교적 저렴한 식당을 골랐다. 물리학과 조교의 월급은 비서로 일하는 그녀의 월급보다 훨씬 적었지만, 남자친구가 늘 식사 값을 내려 했기 때문이었다. 아직 여름이었고, 그들은 강변의 보도 위에 위치한 테라스에 자리를 잡았다.

"궁금한 게 있는데, 영(靈)들이 언제 자기랑 다시 잠자리를 가져도 된대?" 로렌스가 장난스럽게 물었다.

브리다는 다정하게 그를 바라보았다. 그에게 지난 두 주 동안 자기 집으로 찾아오지 말라고 부탁했고, 그는 자신이 그녀를 얼마나 사랑하는지 표현할 수 있을 정도로만 항의한 뒤, 이내 수긍했다. 로렌스 역시 자기만의 방식으로 우주의 신비를 발견하고자 애쓰고 있었다. 언젠가 그가 두 주 동안 떨어져 있자고 요구한다면, 그녀 역시 받아들여야 할 것이다.

그들은 강 위를 떠다니는 배들과 거리를 산책하는 사람들을 바라보면서 느긋하고 조용하게 식사를 했다. 백포도주 한 병을 비우고 다시 한 병을 땄다. 삼십 분 후, 그들은 의자를 나란히 붙여놓고 꼭 껴안은 채 별이 반짝이는 여름 하늘을 바라보았다.

"저 하늘을 잘 봐." 로렌스가 그녀의 머리카락을 어루만지며 말했다. "우리는 수천 년 전의 하늘을 바라보고 있는 거야."

그들이 처음 만난 날에도 그는 똑같은 이야기를 했다. 하지만 브리다는 말을 끊고 싶지 않았다. 그것이 그가 그녀와 함께 자기 세계를 공유하는 방법이었다.

"저 별들 중 많은 별들은 이미 사멸했어. 그런데도 그 별빛은 아직도 우주를 떠돌아다니고 있지. 머나먼 곳에서 다른 별들이 태어났지만, 그 별빛들은 아직 우리가 있는 곳까지 도착하지 못했고."

"그러면 진짜 하늘이 어떻게 생겼는지는 아무도 모르는 거야?" 그녀 역시 첫날 했던 똑같은 질문을 했다. 그토록 감미로웠던 순간은 다시 반복해도 좋으리라.

"우리도 몰라. 우리는 눈에 보이는 것을 연구해. 그런데 보이는 것과 존재하는 것이 언제나 일치하는 것은 아니지."

"자기한테 하나 묻고 싶어. 우리는 무엇으로 만들어졌어? 우리 몸을 이루고 있는 이 원자들은 어디에서 온 거야?"

로렌스가 태곳적부터 존재해온 하늘을 우러러보며 대답했다.

"저 별들과, 그리고 자기가 보고 있는 이 강과 같은 순간에. 바로 우주가 탄생한 그 첫 순간이지."

"그럼 '우주 창조' 첫 순간 이후, 추가된 건 아무것도 없는 거야?"

"아무것도. 세상 만물은 끊임없이 움직여왔고, 지금도 움직이고 있어. 모든 것은 변모해왔고, 지금도 변하고 있지. 하지만 우주를 이루고 있는 모든 물질은 수억만 년 전이나 지금이나 똑같아. 원자 하나 보태지지 않았어."

브리다는 강물의 움직임과 별들의 움직임을 한참 동안 바라보았다. 대지를 흐르는 강물은 눈에 보였지만, 하늘을 흐르는 별의 움직임은 알아채기 어려웠다. 그렇지만 강도, 별들도 움직이고 있었다.

"로렌스." 마침내 그녀가 침묵을 깼다. 두 사람은 지나가는 배를 바라보며 한참 말이 없었다. "바보 같은 질문 하나만 할게. 내 몸을 이루고 있는 원자들이 내가 태어나기 전에 살았던 누군가의 몸을 이루고 있었다는 게 물리적으로 가능해?"

로렌스가 놀라 그녀를 바라보았다.

"정확히 알고 싶은 게 뭔데?"

"물어본 그대로야. 그게 가능해?"

"식물이나 곤충의 일부분을 이루고 있었을 수도 있지. 헬륨 분자로 변해 지구에서 수백만 킬로미터 떨어진 곳에 있었을 수도 있고."

"하지만 이미 죽은 사람의 몸을 이루고 있던 원자들이 내 몸과 다른 사람의 몸을 이루는 건?"

그는 한참 동안 가만히 있었다.

"응, 가능해." 마침내 그가 대답했다.

멀리서 음악소리가 들려오기 시작했다. 강물 위를 흘러가는 배에서 들려오는 소리였다. 거리가 꽤 멀었지만, 브리다는 불 켜진 창문에 비친 선원의 실루엣을 알아볼 수 있었다. 사춘기 시절을 떠올리게 하는 음악이었다. 학교 댄스파티, 자신의 방에서 풍기던 향기, 포니테일로 머리를 묶었던 리본 색깔 같은 것들이 한꺼번에 떠올랐다. 브리다는 자신이 방금 던진 질문을 로렌스가 지금까지 한 번도 생각해보지 않았다는 것을 깨달았다. 그리고 어쩌면 지금 이 순간, 그는 자신의 몸속에 바이킹 전사나 화산 폭발물, 불가사의하게 자취를 감춘 선사시대 동물들의 원자가 들어 있는지 궁금해할지도 모른다.

하지만 그녀는 다른 생각을 하고 있었다. 그녀가 알고 싶은 것은 자기를 이토록 다정하게 안아주고 있는 이 남자가 과거 자신의 일부였을까, 하는 것이었다.

배가 점점 더 가까워지면서 일대는 음악소리로 가득 찼다. 그 소리가 어디서 들려오는지에 귀 기울이고 있는지, 다른 테이블들에서도 대화가 중단되었다. 사춘기 시절과 학교 댄스파티, 전사와 요정의 이야기로 꿈에 부풀던 추억은 누구에게나 있었다.

"사랑해, 로렌스."

그리고 브리다는 간절히 바랐다. 별빛에 대해 이토록 많은 것을 아는 이 남자 안에 옛날 그녀였던 사람의 작은 일부라도 담겨 있기를.

"나는 절대 못 할 거야."

브리다는 침대 위에 앉아 사이드테이블에 놓인 담뱃갑을 찾았다. 평소의 그녀답지 않게 식전인데도 담배 생각이 났다.

위카와 다시 만나기로 한 날이 이틀 남았다. 지난 몇 주 동안 그녀는 최선을 다했다고 확신했다. 온 희망을 걸고 그 아름답고 신비로운 여자가 가르쳐준 방법을 실행했고, 그녀를 실망시키지 않기 위해 한시도 거르지 않고 고군분투했다. 하지만 한 벌의 카드는 비밀을 드러내 보이려 하지 않았다.

지난 사흘 밤 내내 의식을 마치고 나면 울고 싶은 기분이 북받쳤다. 자신이 너무나 나약하게 느껴졌고, 엄청난 기회가 손에서 술술 빠져나가고 있는 느낌이었다. 또다시, 인생이 자기에게만 불공평하게 구는 것 같다는 생각이 고개를 쳐들었다. 목표를 이룰 수 있도록 모든 기회를 주는가 싶더니, 가까스로 다가서려는 순간 땅이 갈라지면서 수렁에 빠지는 것이다. 공부를 할 때도 그랬고, 남자친구를 사귈 때도 그랬고, 결코 아무와도 나누지 않았던 꿈들도 그랬다. 그리고 그녀가 가고자 하는 길에서도 마찬가지였다.

마법사가 떠올랐다. 그가 도와줄 수 있을지도 모른다. 하지만 마법사와 다시 마주할 수 있을 정도로 마법에 대해 충분히 알게 된 뒤에 숲으로 돌아가겠다고 스스로 약속하지 않았던가.

그리고 지금, 그런 일은 영영 요원할 것만 같았다.

브리다는 한참 동안 침대에 앉아 있다가 아침식사를 준비하러 갔다. 마침내 용기를 짜내 하루 더, 한 번만 더 '매일의 어두운 밤'과 맞서기로 결심한 것이다. 숲에서의 경험 이후로, 그녀는 그 일을 그렇게 부르고 있었다. 커피를 준비하고 시계를 보니 아직 시간은 충분했다.

그녀는 책장 앞에 서서 책들을 뒤적이며 서점 주인이 준 종이를 찾았다. 다른 길들도 있을 거야, 그녀는 자신을 위로했다. 마법사를 만나는 데 성공했고 위카도 만나보았으니, 결국 그녀가 이해할 수 있는 방법으로 가르쳐줄 수 있는 사람과도 연결될 수 있으리라.

하지만 그것이 변명에 불과하다는 것을 그녀는 알고 있었다.

'매번 이것저것 시작만 했다가 포기했잖아.' 마음이 씁쓸했다. 삶이 그 사실을 곧 감지하고, 그나마의 기회들도 더이상 주지 않을지도 모른다. 아니, 어쩌면 늘 시작하자마자 포기하다보니 한 발도 제대로 내딛지 못한 채 길이 막혀버리는 건지도 모른다.

하지만 그녀는 원래 그랬고, 이젠 점점 나약해지는 것만 같았다.

변화를 시도할 자신감도 사라져갔다. 몇 년 전까지만 해도 이런 자신의 태도를 후회하고, 과감하게 밀어붙이기도 했다. 그런데 이제는, 자신의 잘못에 익숙해져가고 있었다. 그녀는 그런 사람들을 익히 알고 있었다. 자기 잘못에 익숙해져서 얼마 후에는 잘못과 미덕을 혼동하는 사람들. 그때는 삶을 바꾸기에는 이미 늦어버린다.

브리다는 위카에게 전화하지 말고 그냥 잠적해버릴까 생각했다. 그러면 서점은 어떡하지? 다시는 그곳에 모습을 드러낼 용기가 나지 않을 것 같았다. 잠적해버리면 다음에 만날 때 서점 주인이 살갑게 대해주지 않을 것 같았다. '전에도 이런 일이 있었지. 누군가에게 생각 없이 굴었다가 좋아하는 사람 모두와 멀어지게 된 적이 있었어.' 이번에는 그럴 수 없었다. 그녀는 좀처럼 만나기 힘든 소중한 인연들이 있는 길에 서 있는 것이다.

브리다는 용기를 내어 종이에 적힌 전화번호를 눌렀다. 수화기 너머에서 위카가 전화를 받았다.

"저 내일 못 갈 것 같아요." 브리다가 말했다.

"당신도 못 오고, 배관공도 못 오고." 위카가 대답했다. 잠시 동안 브리다는 그녀가 무슨 말을 하는지 이해하지 못했다.

그런데 위카가 부엌 개수대가 고장이 났다며 투덜거리기 시작했다. 배관공에게 여러 번 전화했는데도 아직 오지 않았다는 것이었다. 그러고는 보기엔 근사할지 몰라도 골치 아픈 문제를 잔뜩 안고 있는 오래된 건물들에 관한 이야기를 주절주절 늘어놓았다.

"당신 근처에 타로카드 있나?" 한참 배관공 이야기를 하다가 위카가 뜬금없이 물었다.

브리다는 깜짝 놀라서 그렇다고 대답했다. 위카는 테이블 위에 카드들을 펼쳐놓으라고 하더니, 다음 날 아침에 배관공이 나타날지 안 나타날지 점치는 법을 가르쳐주겠다고 했다.

브리다는 더욱 놀라 시키는 대로 했다. 그녀는 테이블에 카드들을 펼쳐놓고 한참 동안 멍하니 바라보았다. 그러면서 수화기 너머로 들려오는 지시를 기다렸다. 애초에 전화를 건 이유를 말하려던 용기는 점점 사그라지고 있었다.

위카는 쉬지 않고 말을 계속했고, 브리다는 인내심을 가지고 그녀의 말을 듣기로 했다. 어쩌면 위카와 친구가 될 수도 있다. 그렇게 되면 그녀도 좀더 곁을 주게 되어, 달 전승을 배울 수 있는 좀더 쉬운 방법을 가르쳐줄지도 모른다.

그러는 동안에도 위카는 이 이야기 저 이야기로 정신없이 넘나들었다. 그녀는 배관공에 대한 불평을 한참 늘어놓더니, 할 만큼 했다 싶었는지 이제는 건물 경비원 월급을 두고 관리인과 아침 댓바람부터 다툰 이야기를 하기 시작했다. 그러고 나서 이야기는 정년퇴직자들에게 지급하는 연금으로 넘어갔다.

브리다는 중얼중얼 맞장구치며 그 모든 이야기를 듣고 있었다. 위카의 이야기에 동의의 뜻을 표하면서도, 그 어떤 이야기에도 관심을 기울이지 않고 있었다. 그런 통화가 끔찍하게 지겨워 그녀는 몸부림을 쳤다. 이렇게 이른 시간부터 배관공이니 경비원이니 정년퇴직자에 대한 괴상한 이야기를 듣다니. 살면서 들은 이야기 중 가장 지겨운 이야기였다. 차라리 카드나 보자고 테이블로 눈을 돌렸는데, 불현듯 예전에는 모르고 지나쳤던 자잘한 세부들이 보였다.

이따금 위카는 브리다에게 이야기를 듣고 있냐고 물었고, 브리다는 그렇다고 우물우물 대답했다. 하지만 그녀의 머릿속은 한 번도 가보지 못한 먼 곳으로 여행을 떠나 그곳을 헤매고 있었다. 카드 한 장 한 장의 세부가 그녀를 여행 속으로 점점 더 깊이 밀어넣고 있었다.

꿈속으로 빨려들어간 사람처럼, 어느 순간 브리다는 위카가 말하는 내용이 들리지 않는다는 사실을 갑자기 깨달았다. 어떤 목소리가, 그녀 안에서 들려오는 것 같은 어떤 목소리가—하지만 그녀는 그 목소리가 외부에서 들려오는 것임을 알고 있었다—나지막이 무언가 속삭이기 시작했다. '이해하겠어?' 브리다는 그렇다고 대답했다. '그래, 너는 이해하고 있어.' 신비로운 목소리가 말했다.

그러나 그런 건 조금도 중요하지 않았다. 그녀 앞에 놓인 타로카드들이 환상적인 장면들을 보여주기 시작한 것이다. 검게 그을린 몸에 기름을 바르고 손바닥만한 팬티만 입은 남자들. 몇몇은 거대한 물고기 머리 모양의 가면을 쓰고 있었다. 구름들이 순식간에 하늘을 가로질렀다. 모든 움직임이 원래의 속도보다 빨라진 듯이. 그리고 갑자기 장면은 장엄한 건물들이 들어선 광장으로 바뀌었다. 그곳에서는 노인들이 아이들에게 비밀 이야기를 들려주고 있었다. 아주 오래된 지식이 순식간에 영원히 사라져버리기라도 할 듯, 노인들의 눈빛에는 절망과 다급함이 묻어 있었다.

'7에 8을 더하면 나의 숫자가 될 것이다. 나는 악마이고, 그 책에 서명했다.' 장면은 축제로 바뀌었고, 중세풍으로 옷을 입은 소년이 말했다. 한 무리의 남녀가 술에 취해 웃음을 터뜨리고 있었다. 다시 장면은 바닷가 옆, 바위 위에 세워진 사원으로 바뀌었다. 하늘은 시커먼 구름으로 뒤덮이기 시작했고 눈부신 번개가 땅 위에 내리꽂혔다.

문 하나가 나타났다. 오래된 성문처럼 묵직한 문이었다. 문은 브리다에게 가까이 다가왔고, 그녀는 자신이 곧 그 문을 열게 되리라는 걸 예감했다.

'돌아와.' 목소리가 말한다.

"돌아와, 돌아와." 수화기 너머의 목소리가 말한다. 위카였다. 경비원이나 배관공 이야기 따위 때문에 이 환상적인 체험을 지속할 수 없게 됐다고 생각하자 브리다는 짜증이 났다.

"잠깐만요." 그녀가 대답했다. 그녀는 그 문으로 되돌아가기 위해 고군분투했지만, 바로 코앞에서 모두 사라져버리고 말았다.

"무슨 일이 있었는지 알아." 브리다가 침묵을 지키자 위카가 말했다. "이제 배관공 이야기는 더 안 할게. 사실, 그 사람이 지난주에 우리집에 와서 이미 다 고쳐놓았어."

전화를 끊기 전에, 위카는 약속한 시간에 브리다를 기다리겠다고 말했다.

브리다는 잘 있으라는 인사도 없이 전화를 끊었다. 부엌의 벽을 뚫어져라 바라보면서 한참을 더 그렇게 있었다. 그러고는 터져나오는 울음에 마음이 진정될 때까지 흐느꼈다.

"일종의 트릭이었어." 이탈리아제 소파에 마주 앉은 후 위카가 겁먹은 브리다에게 말했다.

"당신이 어떤 기분일지 알아." 그녀는 말을 이어갔다. "때로 우리는 믿지 못하겠다는 이유만으로 어떤 길에 들어서기도 하지. 그러면 일은 쉬워. 우리가 해야 할 일이라고는 그것이 우리 길이 아니라는 것을 증명하는 것뿐이니까.

하지만 어쨌거나, 일단 일이 벌어지기 시작하고 길이 제 모습을 드러내면, 계속 그 길을 가는 게 두려워지지."

위카는 왜 많은 이들이 자신을 어딘가로 이끌어줄 유일한 길을 따르지 않고, 가고 싶지 않은 길들을 파괴하는 데 평생을 보내고 싶어하는지 이해할 수 없다고 덧붙였다.

"그게 트릭이었다는 게 믿기지 않아요." 브리다가 말했다. 이제 그녀에게서 건방지거나 반항적인 태도는 찾아볼 수 없었다. 이 위카라는 여인에 대한 존경심은 엄청나게 커져 있었다.

"당신이 본 환영은 트릭이 아니야. 내가 트릭이라고 한 건 전화 통화야.

지난 수백만 년 동안 인간은 눈에 보이는 상대와만 얘기했어. 그런데 한 세기도 안 되어 '보는 것'과 '말하는 것'이 갑자기 분리되었지. 우리는 우리 자신이 이 경이로운 현상에 익숙해졌다고 믿고, 이것이 우리의 정신에 미칠 수 있는 엄청난 영향은 감지하지 못하고 있어. 간단히 말해, 우리 육체는 아직 거기에 익숙하지 못했다는 거야.

실제로 나타나는 결과는 이래. 우리는 전화 통화를 할 때 일종의 마법과도 같은 무아지경에 빠지는 것과 비슷한 상태에 이르게 되지. 정신이 다른 주파수대 안으로 들어가 보이지 않는 세계에 대한 감수성이 예민해지는 거야. 내가 아는 마녀들 중에는 전화기 가까이에 언제나 종이와 연필을 갖춰놓는 이들도 있어. 그들은 통화중에 아무 의미도 없어 보이는 낙서들을 끼적거리지. 하지만 전화를 끊고 보면 그 낙서들은 대부분 달 전승에 나오는 상징들이야."

"그렇다면 왜 타로카드가 내 앞에 모습을 드러낸 걸까요?"

"그게 바로 마법을 배우고픈 욕망을 지닌 이들의 큰 문제야." 위카가 대답했다. "어떤 길에 들어설 때, 우리는 자기가 찾고자 하는 바에 대해 비교적 확고한 생각을 가지고 출발하지. 일반적으로 여자들은 소울메이트를 찾고자 하고, 남자들은 권력을 찾아. 하지만 어느 쪽이든 배우고 싶어하지는 않더군. 그저 자기들이 목표로 정한 딱 그

지점에만 이르고 싶어할 뿐이지.

하지만 마법의 길은 인생의 길과 마찬가지로 신비로움으로 가득하고, 앞으로도 그럴 거야. 무언가를 배운다는 것은 한 번도 알지 못했던 세계와 만난다는 의미야. 배우기 위해서는 겸허해야 해."

"'어두운 밤' 속으로 침잠하는 것처럼 말이죠." 브리다가 말했다.

"내 이야기를 끊지 마." 위카의 목소리에 짜증이 묻어났다. 브리다는 그게 자기 때문이 아니라는 걸 느꼈다. 어쨌든 그녀는 맞는 말을 한 것이다. '어쩌면 마법사 때문에 짜증이 난 건지도 몰라.' 브리다는 생각했다. 과거에 그와 연인 사이였는지 누가 알겠는가. 두 사람은 비슷한 연배였다.

"죄송해요." 그녀가 말했다.

"아냐, 괜찮아." 위카 역시 자신의 반응에 놀란 듯했다.

"타로카드에 대해 말씀하시고 계셨어요."

"테이블에 카드를 펼쳐놓을 때 당신은 늘 어떤 패가 나올 거라고 생각했지, 카드들이 스스로 말하도록 내버려둔 적이 없었어. 당신이 알고 있다고 상상하는 바를 카드가 확인해주기만 바랐을 뿐.

당신과 통화를 시작했을 때 난 그걸 감지했어. 나는 거기에 어떤 표지(標識)가 있다는 것도, 전화기가 내 편이라는 것도 알았지. 그래서 지루한 이야기를 시작하면서 당신에게 카드들을 응시하라고 한 거야. 그리고 당신은 전화 통화를 통해 무아지경에 들었고, 카드들은 당신을 마법의 세계로 이끌었지."

위카는 그녀에게 전화 통화를 하는 사람들의 눈을 잘 살펴보라고 조언했다. 아주 흥미로운 것을 보게 될 거야.

"하나만 더 물어도 될까요." 함께 차를 마시면서 브리다가 말했다. 위카의 부엌은 놀라우리만치 현대적이고 실용적이었다.

"왜 제가 길을 포기하도록 내버려두지 않으셨나요."

'마법사가 너에게서 재능 외에 무엇을 보았는지 알고 싶어서.' 위카는 생각했다.

"당신에게 재능이 있어서야." 그녀가 대답했다.

"저한테 재능이 있는지 어떻게 아세요?"

"간단해. 귀를 보면 알 수 있지."

'귀를 보고서라니. 정말 실망인걸.' 브리다는 속으로 중얼거렸다. '내게서 무슨 후광이라도 본 줄 알았는데.'

"모든 사람은 한 가지씩 재능을 갖고 있어. 하지만 어떤 이들은—예를 들어 나 같은 사람은—재능을 개발하기 위해 고군분투해야 하는 반면, 어떤 이들은 애초부터 현격히 발달된 재능을 지니고 태어나지.

재능을 타고난 사람들은 귓불이 작고 귀가 두상에 딱 붙어 있어."

브리다는 본능적으로 자기 귀를 만져보았다. 정말이었다.

"자동차를 가지고 있나?"

브리다는 없다고 대답했다.

"그렇다면 택시비로 엄청난 돈을 지출할 준비를 해야 할 거야." 위카가 일어서면서 말했다. "다음 단계로 넘어갈 시간이야."

'모든 일이 너무 빨리 진행되고 있어.' 브리다는 일어서면서 생각했다. 삶은 그녀가 무아지경에 들었을 때 본 구름처럼 빠르게 흘러가고 있었다.

오후 서너시쯤, 그들은 더블린에서 남쪽으로 39킬로미터 떨어진 곳에 위치한 산 근처에 이르렀다. '버스를 타고 와도 될걸 그랬잖아.' 브리다는 택시비를 내면서 속으로 투덜거렸다. 위카는 가방에 옷 몇 벌을 넣어가지고 왔다.

"돌아오실 때까지 기다릴까요?" 택시기사가 말했다. "여기서는 택시 잡기가 꽤 어려울 거요. 외딴곳이거든요."

"걱정 마세요." 위카가 대답했다. "바라는 건 언제나 얻을 수 있으니까요." 그녀의 대답에 브리다는 안심이 되었다.

택시기사는 정말 이상한 여자들을 다 본다는 듯이 그들을 쳐다보고는 차를 타고 사라졌다. 그들은 유칼리나무 숲 앞에 있었다. 숲은 가까이 있는 산기슭까지 펼쳐졌다.

"들어가게 해달라고 허락을 구해." 위카가 말했다. "숲의 정령들은 예를 갖추는 걸 좋아하거든."

브리다는 허락을 구했다. 그러자 조금 전까지만 해도 평범해보였던 숲이 살아 있는 것처럼 보였다.

"언제나 보이는 세계와 보이지 않는 세계를 잇는 다리 위에 있어야 해." 유칼리나무 숲속을 함께 걸으며 위카가 말했다. "우주 만물은 생명을 지니고 있어. 항상 그 생명들과 만나려고 노력해야 해. 그 생명들은 당신의 언어를 알아들어. 그러면 세상은 당신에게 전혀 다른 의미를 띠게 될 거야."

브리다는 위카의 날렵한 몸놀림에 놀랐다. 두 발이 공중에 떠 있기라도 한 듯 거의 소리가 나지 않았다.

그들은 거대한 바위 가까이에 있는 공터에 이르렀다. 어떻게 이런 바위가 여기 있게 되었을까 궁금해하는 브리다의 눈에 공터 한가운데에 모닥불 피운 흔적이 들어왔다.

아름다운 곳이었다. 아직 해가 지려면 한참 있어야 하는 시간이었고, 햇살이 전형적인 여름 한낮의 빛으로 주위를 물들이고 있었다. 새들은 지저귀고, 가벼운 산들바람이 나뭇잎 사이로 불어왔다. 지대가 높아 지평선이 내려다보였다.

위카가 가방 안에서 아랍인들이 입는 망토 비슷한 것을 꺼내더니 입고 있던 옷 위에 걸쳤다. 그러고는 공터에서 보이지 않는 나무 근처에 가방을 내려놓았다.

"앉게." 그녀가 말했다.

위카는 다른 사람이 되어 있었다. 브리다는 그게 옷 때문인지, 아니면 장소가 불러일으키는 깊은 존경심 때문인지 알 수 없었다.

"우선 지금 내가 뭘하려는지 설명해야겠지. 나는 그 재능이라는 것이 당신에게서 어떻게 발현되는지 알아내고자 하는 거야. 내가 당신의 재능에 대해 조금이라도 알아야 뭐라도 가르칠 수 있을 테니까."

위카는 브리다에게 긴장을 풀고 그곳의 아름다움에 자신을 내맡기라고 주문했다. 마치 타로카드에 자신을 내맡겼을 때처럼.

"당신이 살았던 전생들 중에 어느 한순간, 당신은 이미 마법의 길을 발견했어. 당신이 말해준 타로카드의 환영들을 통해 알았지."

브리다가 두 눈을 감았지만 위카는 다시 눈을 뜨라고 했다.

"마법의 장소들은 언제나 지극히 아름답고, 하나하나 음미해야 마땅하지. 샘, 산, 숲, 이런 곳에서 대지의 정령들은 장난을 치고, 웃고, 인간에게 말을 걸어. 당신은 지금 성스러운 곳에 와 있는 거야. 이 장소가 당신에게 새와 바람을 보여주고 있잖아. 신께 감사하도록 해. 보내주신 작은 새들과 불어오는 바람, 이곳에 깃든 정령들에 대해. 보이는 세계와 보이지 않는 세계를 잇는 다리 위에 있어야 한다는 것을 명심하면서."

위카의 목소리에 브리다는 점점 마음이 편안해졌다. 가히 종교적이라 할 만한 존경심이 절로 우러났다.

"지난번에 내가 마법의 가장 큰 비밀 중 하나를 말해주었지. 소울메이트라는 것에 대해. 대지 위에 사는 인간의 삶은 그 하나에 집약되어 있어. 자신의 다른 소울메이트를 찾는 것에 말이지. 지식, 돈, 권력을 좇아 달려가는 척하는 사람도 있지만, 그런 건 중요하지 않아. 무엇을 성취하든 자신의 소울메이트를 찾지 못하면 불완전하지.

천사의 후예인 몇몇 드문 피조물들—그들도 신과 만나기 위해서는 고독이 필요하지만—을 제외한 나머지 인간은 생의 어느 순간,

짧은 순간이나마 자신의 소울메이트와 함께해야 신과의 합일에 도달할 수 있어."

브리다는 공기중에서 예사롭지 않은 에너지를 감지했다. 그리고 왜인지 설명할 수는 없지만 잠시 동안 그녀의 두 눈에 눈물이 가득 고였다.

"태곳적 우리가 나뉘었을 때, 한 부분은 지식을 보존하는 책임을 맡았지. 바로 남자야. 남자는 농사와 자연, 천체의 움직임을 이해했지. 언제나 지식의 세계를 제 위치에 유지하고, 별이 계속 궤도를 돌게 하는 힘이야. 지식을 보존하는 것은 남자에게 주어진 영광이었어. 그 덕분에 인류가 생존할 수 있었고.

우리 여자들에게는 훨씬 미묘하고 섬세한 능력이 주어졌지. 그것 없이는 제아무리 많은 지식도 의미가 없어. 그 능력은 바로 변화야. 남자들은 땅을 비옥하게 일구고, 우리 여자들은 씨앗을 뿌리지. 그러면 땅은 나무와 식물로 변화하는 거야.

땅은 씨앗을 필요로 하고, 씨앗은 땅을 필요로 하지. 둘 다 다른 쪽이 있어야 의미를 지니게 돼. 그건 인간도 마찬가지야. 남자의 지식이 여자의 변화와 하나가 되어야 마법과 같은 위대한 결합이 이루어지지. 그리고 그것이 바로 지혜라는 것이야.

지혜란 아는 것, 그리고 변화하는 것이지."

바람이 강해지기 시작했고, 브리다는 위카의 목소리를 통해 자신이 다시 무아지경으로 들어가는 걸 느꼈다. 숲의 혼령들이 깨어나 그녀를 지켜보는 것 같았다.

"드러누워라." 위카가 말했다.

브리다는 등을 대고 누워 두 다리를 벌렸다. 위로는 구름 한 점 없는 푸르고 깊은 하늘이 빛나고 있었다.

"너의 재능을 찾아 떠나라. 오늘은 내가 너와 함께 갈 수 없다. 하지만 두려워하지 말고 가라. 너 자신을 이해할수록 세상을 더욱 깊이 이해하게 될 테니.

그리고 그렇게 너의 소울메이트에게 다가가게 되는 것이니."

위카는 무릎을 꿇고, 눈앞에 누워 있는 젊은 여자를 바라보았다. '예전의 나와 똑같아.' 그녀는 애정을 품고 생각했다. '모든 것에서 의미를 찾아내고, 자신의 공동체를 다스릴 힘을 지닌 강하고 자신만만한 옛 여인들의 눈으로 세상을 보려 하고 있어.'

그 시절, 어쨌든 신은 여자였다. 위카는 브리다 위로 몸을 숙여 허리띠를 풀고 청바지의 지퍼를 약간 내려주었다. 브리다의 몸에 힘이 들어갔다.

"걱정하지 마." 위카가 다정하게 말했다.

그녀는 브리다의 티셔츠를 약간 위로 올려 배꼽을 드러내놓았다. 그러고 나서 망토 주머니에서 수정 크리스털을 꺼내 배꼽에 올려놓았다.

"자, 이제 두 눈을 감아." 그녀가 부드럽게 말했다. "그리고 하늘과 같은 빛을 상상하는 거야. 두 눈은 꼭 감고."

그리고 위카는 망토에서 작은 자수정 한 개를 꺼내, 브리다의 감은 두 눈 사이에 올려놓았다.

"지금부터 내가 말하는 곳을 정확하게 따라가는 거야. 아무 걱정하지 말고.

너는 우주 한복판에 있어. 주위로 별들이 보이지. 어떤 별들은 더 환히 빛나고 있어. 이 풍경이 영사막처럼 그저 앞에 펼쳐져 있는 것이 아니라 너를 폭 감싸주고 있어. 우주를 바라보면서 그 즐거움을 만끽하는 거야. 다른 건 아무것도 걱정할 것 없어. 오로지 쾌락에만 집중하는 거야. 죄책감 없이."

브리다의 눈앞에 별들이 총총히 떠 있는 우주가 보였다. 그리고 위카의 목소리가 들려오는 가운데 자신이 그 안에 들어갈 수 있다는 느낌이 들었다. 위카는 우주의 한복판에 존재하는 거대한 대성당을 보라고 브리다에게 주문했다. 브리다는 검은 석재로 지은 고딕양식의 대성당을 보았다. 있을 수 없는 일이었지만, 그것 역시 그녀를 둘러싼 우주의 일부였다.

"대성당까지 걸어가는 거야. 이제 계단을 올라가. 그리고 안으로 들어가는 거야."

브리다는 위카가 시키는 대로 했다. 계단을 오르는 그녀의 맨발 아래, 차가운 돌바닥의 감촉이 느껴졌다. 어느 순간, 누군가 그녀 뒤를 따라오고 있다는 느낌이 들었다. 위카의 목소리는 그녀 뒤를 따르는 사람으로부터 흘러나오는 것 같았다. '이건 내 상상일 뿐이야.' 브리다는 생각했다. 보이는 세계와 보이지 않는 세계를 잇는 다리를 믿어야 한다는 말이 문득 떠올랐다. 실망하거나 실패할지도 모른다는 두려움을 떨쳐내야 했다.

이제 브리다는 대성당 입구 앞에 와 있었다. 성자들의 생애가 부조로 장식되어 있는 거대하고 육중한 철문은, 타로카드를 통해 여행을 떠났을 때 본 문과는 완전히 달랐다.

"문을 열어, 그리고 안으로 들어가."

문을 미는 두 손에 차가운 금속의 감촉이 느껴졌다. 엄청나게 큰 문이었는데도 큰 힘이 들지 않고도 스르르 열렸다. 그녀는 거대한 예배당 안으로 들어섰다.

"보이는 것을 모두 눈여겨보도록 해." 위카가 말했다. 브리다는 밖이 어두운데도 불구하고 거대한 채색유리를 통해 환한 빛이 쏟아져들어오는 것을 눈여겨보았다. 신자석의 장의자와 측면제단, 장식 기둥들과 불밝힌 초들이 보였다. 그러나 이곳은 버려진 장소처럼 보였다. 의자에는 뽀얗게 먼지가 쌓여 있었다.

"왼편으로 걸어가. 어딘가에 다른 문이 있을 거야. 하지만 이번에는 아주 작은 문이야."

브리다는 성당 안을 가로질렀다. 먼지투성이의 바닥을 맨발로 디디자 그다지 기분이 좋지 않았다. 어딘가에서 들려오는 친근한 목소리가 그녀를 이끌고 있었다. 그녀는 그게 위카라는 것을 알고 있었다. 하지만 이제 위카가 자신의 상상을 더이상은 통제하고 있지 않다는 것 역시 알고 있었다. 브리다의 의식은 또렷했지만, 그럼에도 목소리의 말을 거스를 수 없었다.

그녀는 문을 발견했다.

"들어가. 아래로 내려가는 나선계단이 있을 거야."

안으로 들어가려면 몸을 숙여야 했다. 계단 벽에 줄지어 걸려 있는 횃불이 계단을 밝히고 있었다. 바닥은 깨끗했다. 누군가 횃불을 밝히기 위해 그녀보다 먼저 그곳에 다녀간 것이다.

"너는 지금 너의 전생을 만나러 가고 있어. 이 대성당 지하실에는 도서관이 하나 있어. 자, 가자. 나는 나선계단이 끝나는 곳에서 기다리고 있을게."

브리다는 가늠할 수 없는 시간이 흐르는 동안, 아래로 아래로 내려갔다. 한참을 내려가자 가벼운 현기증이 일었다. 마침내 바닥에 도착하니 망토를 입은 위카가 거기 서 있었다. 그다음부터는 훨씬 수월할 것이다. 위카가 그녀를 보호해줄 테니까. 그녀는 여전히 무아지경에 빠져 있었다.

위카가 계단 맞은편에 있는 또다른 문을 열었다.

"이제 나는 여기에 너를 혼자 놔둘 거야. 나는 밖에서 기다리고. 책을 한 권 골라. 그러면 그 책이 네가 알아야 할 것을 보여줄 거야."

브리다는 위카가 그녀와 함께 가지 않고 뒤에 남은 것조차 알아차리지 못했다. 그녀는 먼지로 뒤덮인 책들을 골똘히 바라보고 있었다. '언제 한번 다시 와서 청소 좀 해야겠는걸.' 과거는 아무도 돌보지 않은 채 더럽게 방치되어 있었다. 그녀는 이 모든 책들 중 읽은 게 한 권도 없다는 것이 너무 안타까웠다. 어쩌면 그 책들에는 그녀가 오래전에 잊어버린, 그녀가 가지고 돌아갈 수 있는 가르침이 담겨 있을지도 몰랐다.

그녀는 서가에 꽂힌 책들을 바라보았다. '내가 살아온 인생들이란 말이지.' 자신이 그렇게나 나이를 먹었다면 좀더 지혜로워야 하는 것

아닌가. 그녀는 모두 읽고 싶었지만 시간이 많지 않았다. 자신의 직관에 기대야 했다. 이제 길을 알았으니 원할 때마다 다시 돌아올 수 있으리라.

브리다는 어떤 책을 꺼내들어야 할지 몰라 한참을 그대로 서 있었다. 그러다가 갑자기, 별 생각 없이 한 권을 골라 빼들었다. 그렇게 두꺼운 책은 아니었다. 브리다는 책을 들고 도서관 바닥에 앉았다.

막상 무릎 위에 책을 올려놓았지만 두려웠다. 그 책을 펼치는 게 두려웠고, 아무 일도 일어나지 않을까봐 두려웠다. 그 안에 쓰인 것을 읽지 못할까봐 두려웠다.

'위험을 감수해야 해. 실패할까봐 두려워해서는 안 돼.' 그렇게 생각한 것과 동시에 그녀는 책을 펼쳤다. 그리고 책장을 들여다본 순간, 갑자기 몸이 안 좋아졌다. 다시 현기증이 일었다.

'기절할 것 같아.' 사방이 완전히 깜깜해지기 직전, 그녀는 생각했다.

그녀는 얼굴 위로 똑똑 떨어지는 물방울 때문에 깨어났다. 아주 기이한 꿈, 무엇을 의미하는지 알 수 없는 꿈을 꾸었다. 공중에 떠 있는 대성당과 책들로 가득 찬 도서관이 있는 꿈이었다. 하지만 그녀는 한 번도 도서관이라는 곳에 들어가본 적이 없었다.

"로니, 괜찮아?"

아니, 괜찮지 않았다. 오른쪽 발에 감각이 없었고, 그녀는 그것이 좋은 징조가 아니라는 것을 알고 있었다. 하지만 말하고 싶지 않았다. 꿈을 잊고 싶지 않아서였다.

"로니, 정신 차려."

환각은 열 때문이었을 것이다. 아주 생생한 환각이었다. 자기한테 말 좀 그만 걸었으면 하고 그녀는 바랐다. 그것이 무엇인지 이해하기도 전에 꿈이 사라져버리고 있었던 것이다.

하늘은 흐렸고, 낮게 깔린 구름들이 가장 높은 성탑에 거의 닿을 듯했다. 그녀는 구름을 바라보았다. 별이 보이지 않는 게 오히려 다행이라는 생각이 들었다. 사제들은 별이라고 해서 다 좋은 것은 아니라고 했다.

그녀가 눈을 뜨고 얼마 지나지 않아 곧 비가 그쳤다. 로니는 비가 내렸다는 게 기뻤다. 성의 빗물통이 차올랐을 것이기 때문이었다. 그녀는 구름으로부터 천천히 시선을 내려 탑과 안마당의 모닥불을, 어쩔 줄 몰라하며 이쪽저쪽을 분주히 오가는 사람들을 바라보았다.

"탈보." 그녀가 나지막하게 속삭였다.

그가 그녀를 꼭 끌어안았다. 그가 입은 갑옷의 냉기가 느껴지고, 머리카락에 밴 그을음 냄새가 코끝에 감돌았다.

"얼마나 지났어? 오늘 며칠이야?"

"당신은 사흘 동안 깨어나지 않았어." 탈보가 말했다.

그녀는 애잔한 마음으로 그를 바라보았다. 그는 많이 여위었고, 얼굴은 지저분했으며 피부는 생기를 잃었다. 하지만 그런 건 조금도 중요하지 않았다. 그녀는 그를 사랑했다.

"목말라, 탈보."

"물이 없어. 프랑스놈들이 비밀통로를 알아냈어."

다시 그녀의 머릿속에서 '목소리들'이 들려왔다. 아주 오랫동안 증오해온 목소리들. 그녀의 남편은 전사이자 용병으로, 일 년 중 대부분을 전쟁터에서 보냈다. 그녀는 목소리들로부터 그가 전사했다는 소식을 들을까봐 두려웠다. 그래서 목소리들이 말을 걸지 못하게 막는 방법을 알아냈다. 마을 근처에 서 있는 고목(古木)에 생각을 집중하면 되었다. 그렇게 하면 목소리들은 들리지 않았다.

하지만 지금 그녀가 너무 쇠약해진 틈을 타 목소리들이 다시 말을 걸고 있었다.

'너는 곧 죽을 거야.' 목소리들이 말했다. '하지만 그는 살아남을 거야.'

"비가 왔잖아, 탈보." 그녀가 고집을 부렸다. "물을 꼭 마시고 싶어."

"그냥 몇 방울 떨어지다 말았어. 아무 도움도 되지 못할 정도야."

로니는 다시 구름을 올려다보았다. 그 주 내내 구름 걷힌 날이 없었건만, 그저 햇빛만 가릴 뿐이라 겨울 추위는 더 심해지고 성안 분위기는 더욱 우울해졌다. 어쩌면 프랑스 가톨릭교도들의 말이 옳은지도 모른다. 하느님은 그들의 편이라는.

용병 몇 명이 그들 쪽으로 다가왔다. 사방에 피워둔 모닥불 때문에 로니는 지옥에 있는 기분이었다.

"대장님, 사제들이 사람들을 한데 모으라고 했습니다." 그중 한 명이 탈보에게 말했다.

"우리는 싸우러 온 거지 죽으려고 고용된 게 아닙니다." 다른 용병이 말했다.

"프랑스인들은 우리에게 항복할 기회를 주었다." 탈보가 대답했다. "가톨릭 신앙으로 개종하는 사람들은 별다른 문제 없이 떠날 수 있다고 했다."

''완전한 자들'은 그걸 받아들이지 않을걸.' 목소리들이 로니에게 속삭였다. 로니도 알고 있었다. 그녀는 완전한 자들을 잘 알았다. 로니가 평상시처럼 집에서 탈보가 돌아오기를 기다리지 않고 이곳에 있는 것도 다 그들 때문이었다. 완전한 자들은 네 달 전부터 이 성 안에 포위되어 있었고, 비밀통로를 아는 마을 여자들이 그동안 먹을 것과 입을 것, 그리고 무기를 실어 날랐다. 그 기간 내내 여자들은 자기 남편을 만날 수 있었고, 그녀들 덕분에 농성전은 계속될 수 있었다. 하지만 이제 비밀통로가 발각되어 그녀는 마을로 돌아갈 수 없게 되었다. 다른 여자들도 마찬가지였다.

그녀는 몸을 일으켜 앉아보려고 애썼다. 발은 이제 아프지 않았다. 목소리들은 그게 나쁜 징조라고 말하고 있었다.

"우리는 그들의 신과 아무 상관도 없잖습니까. 신앙이라는 명분 때문에 죽을 수는 없습니다, 대장님." 다른 용병이 말했다.

성안에 징소리가 울려퍼지기 시작했다. 탈보가 일어섰다.

"나도 데려가줘, 부탁이야." 그녀가 애원했다. 탈보는 자기 앞에서 떨고 있는 여자와 부하들을 번갈아 바라보았다. 잠시 그는 어떤 결정을 내려야 할지 갈피를 잡지 못했다. 그의 부하들은 전쟁에 익숙했고, 사랑에 빠진 전사는 전투중에 몸을 사리게 된다는 것을 알고 있었다.

"난 얼마 살지 못할 거야, 탈보. 나도 데려가줘, 제발 부탁이야."

용병 하나가 대장을 바라보며 말했다.

"어차피 여기 혼자 둘 수도 없습니다. 프랑스군이 다시 공격을 해올지도 모르잖습니까."

탈보는 짐짓 그 주장에 수긍하는 것처럼 행동했다. 그는 프랑스인들이 또다시 공격을 감행하지 않으리라는 것을 알고 있었다. 지금은 몽세귀르 성의 항복을 두고 협상하느라 휴전중이었으니까. 하지만 용병은 탈보의 마음을 이해했다. 그 역시 사랑에 빠진 남자일 게 분명했다.

'그는 알고 있어. 곧 네가 죽으리라는 것을.' 탈보가 부드럽게 로니를 부축하는 동안 목소리들이 말했다. 로니는 그 말들을 듣고 싶지 않았다. 그녀는 어느 여름 한낮, 지금처럼 그에게 기대어 함께 밀밭을 거닐던 날을 떠올렸다. 그때도 그녀는 목이 말랐고, 그들은 산에서 흘러내려오는 개울물을 마셨다.

한 무리의 사람들이 몽세귀르 요새 서쪽 성벽에 붙은 커다란 바위 가까이에 모여 있었다. 남자들과 군인들, 여자들, 아이들이었다. 침묵이 공기를 무겁게 내리눌렀다. 로니는 그 침묵이 사제들을 향한 존경심 때문이 아니라, 앞으로 일어날지 모르는 일들에 대한 두려움 때문이라는 걸 알았다.

사제들이 도착했다. 그들의 수는 적지 않았고, 앞자락에 커다란 노란 십자가가 수놓인 검은 망토를 입고 있었다. 그들은 바위와 바깥 계단, 탑 아래에 자리를 잡았다. 머리칼이 하얗게 센 사제가 맨 마지막으로 도착해, 성벽 위 가장 높은 곳으로 올라갔다. 그의 모습이 모닥불빛을 받아 환하게 빛났고, 검은 망토가 바람에 휘날렸다.

그가 가장 높은 곳에 멈춰서자 대부분의 사람들이 일제히 무릎을 꿇었다. 앞으로 엎드려 기도하는 모양새로 양손을 맞잡은 뒤, 땅바닥에 세 번 머리를 찧었다. 탈보와 그의 용병들은 그대로 서 있었다. 그들은 싸우기 위해 고용된 사람들이었다.

"우리는 항복을 제의받았습니다." 사제가 성벽 꼭대기에서 말했다. "떠나고 싶은 사람은 모두 떠나십시오."

안도의 한숨이 여기저기서 터져나왔다.

"이방신에 속한 영혼들은 세상의 왕국에 그대로 남을 것입니다. 진정한 하느님에 속한 영혼들은 그분의 무한한 자비로 돌아갈 것입니다. 전쟁은 계속되겠지요. 하지만 영원하지는 않을 것이오. 비록 몇몇 천사가 이방신에 의해 타락했다 해도, 결국 그 신은 패할 것이기 때문입니다. 그는 패할 것이지만, 궤멸되지는 않을 것입니다. 그는 자신이 유혹한 영혼들과 함께 영원히 지옥에서 고통받을 것입니다."

사람들은 성벽 꼭대기 위의 남자를 바라보았다. 그들은 지금이라도 피신해서 영원히 고통받는 쪽을 택해야 할지 말지 결정을 내릴 수가 없었다.

"카타르 교회가 진정한 하느님의 교회입니다." 사제는 계속 이어나갔다. "예수 그리스도와 성령의 은혜로 우리는 하느님을 영접하게 되었습니다. 우리는 다시는 환생할 필요가 없습니다. 다시는 이방신의 왕국으로 돌아갈 필요가 없습니다."

로니는 사제 세 명이 앞으로 나와 사람들 앞에서 성경을 펼치는 모습을 보았다.

"우리와 함께 죽음을 택한 이들에게는 '콘솔라멘툼'*을 거행하겠

* 카타르 교파에서 행하는 생애 최후의 의식. 가톨릭에서 행하는 종부성사와 비슷한 의미를 가진다.

습니다. 저기 아래, 모닥불이 우리를 기다리고 있습니다. 엄청난 고통이 따르는 끔찍한 죽음이 될 것입니다. 화마의 고통이 육신을 태울 것이고 죽음이 천천히 찾아올 것입니다. 여러분이 겪었던 그 어떤 고통에도 비하지 못할 것입니다.

하지만 모든 사람들이 이러한 영광을 누리지는 못할 것입니다. 진정한 카타르 교인만이 누릴 자격이 있습니다. 다른 이들은 삶이라는 형벌을 선고받을 것입니다."

두 여자가 성경책을 펼쳐든 사제들 앞으로 수줍어하며 나아갔다. 사춘기 소년 하나도 어머니의 품을 간신히 벗어나 여자들과 함께 섰다.

용병 네 명이 탈보에게 다가와 말했다.

"대장님, 저희도 성사를 받고 싶습니다. 세례를 받게 해주십시오."

'전승은 이렇게 이어지는 것이야.' 목소리들이 말했다. '사람들이 신념을 위해 기꺼이 목숨을 던질 수 있을 때.'

로니는 탈보의 결정을 기다렸다. 그들은 돈을 위해 평생을 싸워왔다. 그러다가 마침내 자신이 옳다고 여기는 것, 그 한 가지만을 위해 싸울 수도 있다는 것을 발견하게 된 것이다.

마침내 탈보는 허락했다. 그럼으로써 그는 최고의 부하들 몇을 잃게 되었다.

"우린 여기서 떠나." 로니가 말했다. "성벽 쪽으로 가요. 떠나고 싶은 사람은 가도 좋다고 했잖아."

"로니, 일단은 쉬는 게 좋겠어."

'넌 곧 죽을 거야.' 목소리들이 다시 속삭였다.

"피레네 산맥을 보고 싶어. 계곡을 다시 한번 보고 싶어, 탈보. 내가 얼마 못 갈 거라는 거 당신도 알잖아."

그렇다, 그는 알고 있었다. 그는 전장에서 산전수전 다 겪은 남자였고, 상처만 봐도 병사가 언제 죽을지 혹은 살아날지를 알았다. 로니의 상처는 사흘 동안이나 방치되어 있었고, 그러는 동안 독 기운이 혈관을 타고 온몸으로 퍼져버렸다.

상처가 아물지 않는 사람들은 보통 이틀에서 이 주 정도를 버텼다. 그 이상은 절대 불가능했다.

그리고 로니는 이미 죽음의 문턱까지 다다라 있었다. 열은 내려 있었다. 탈보는 그것 또한 나쁜 증세라는 것을 알았다. 발이 아프고 열이 끓어오르는 동안에는 인체가 여전히 싸우고 있는 것이다. 그런데 이제는 싸움을 멈추었다. 죽음을 기다릴 뿐이었다.

'두려워하지 않는군.' 목소리들이 말했다. 그래, 로니는 두렵지 않았다. 어린 시절부터 그녀는 죽음이 또다른 시작이라는 걸 알고 있었다. 그 시절, 목소리들은 그녀에게 큰 힘이 되었다. 그리고 그녀만이 볼 수 있는 얼굴과 육체, 표정을 지니고 있었다. 목소리들은 다른 세상에서 온 자들로, 그녀에게 이야기를 들려주고 그녀의 외로움을 달래주었다. 그녀의 어린 시절은 정말로 즐거웠다. 다른 아이들과 어울려 놀면서 보이지 않는 친구들의 도움을 받아 물건들의 위치를 바꾸고 괴상한 소리를 내게 해서 아이들을 골려주기도 했다. 당시 그녀의 어머니는 그녀가 카타르 교파의 나라에 사는 걸 감사했다. "가톨릭 교도들이 여기 있었다면 너는 산 채로 화형에 처해졌을지도 몰라."

어머니는 자주 말했다. 그러나 카타르 교인들은 그런 것을 대수롭지 않게 여겼다. 그들은 선인은 선하고 악인은 악하다고 믿었고, 그것은 우주의 어떤 힘으로도 변하게 할 수 없는 것이라고 믿었다.

하지만 카타르 교파를 섬기는 국가의 존재를 인정하지 않는 프랑스인들이 그곳에 왔다. 그리고 여덟 살 이후부터 로니는 전쟁만 보고 살아왔다.

전쟁은 그녀에게 남편이라는 커다란 행복을 가져다주었다. 그는 절대 무기를 들지 않는 카타르 사제들에게 고용되어 먼 나라에서 온 사람이었다. 하지만 전쟁은 불행 또한 가져왔다. 가톨릭 군대가 마을에 점차 가까워지면서, 산 채로 화형당할지도 모른다는 두려움은 점점 더 커져갔다. 그녀는 보이지 않는 친구들이 무서워지기 시작했고, 그들도 그녀의 삶에서 점차 사라져갔다. 그러나 목소리들은 남았다. 목소리들은 앞으로 무슨 일이 일어날지, 그녀가 어떻게 처신해야 할지 계속 알려주었다. 하지만 그녀는 그들의 도움을 원치 않았다. 그들은 너무나 많은 것을 알고 있었다. 그때 어떤 목소리 하나가 그녀에게 그 오래된 나무를 떠올리는 트릭을 가르쳐주었다. 그리고 카타르 교인들을 처단하기 위한 프랑스군의 마지막 성전(聖戰)이 시작된 이후, 그리고 프랑스 가톨릭교도들이 잇단 전투에서 승리를 거둔 이후, 목소리들은 더이상 들리지 않게 되었다.

그러나 오늘은 그 나무를 떠올릴 기력이 없었다. 그리고 목소리들이 다시 들리기 시작했지만 그녀는 신경 쓰지 않았다. 오히려 그녀는 그 목소리들이 필요했다. 그들은 그녀가 죽음 이후에 가야 할 길에 대해 가르쳐줄 것이다.

"탈보, 내 걱정은 하지 마. 난 죽는 게 조금도 두렵지 않아." 그녀가 말했다.

그들은 성벽 꼭대기로 올라갔다. 매서운 바람이 쉬지 않고 불어댔다. 탈보는 망토를 더 단단히 여미려고 애썼다. 로니는 이제 추위도 느끼지 못했다. 지평선 위로 도시와 산기슭 병영의 불빛들이 보였다. 온 계곡을 따라 모닥불들이 환히 타고 있었다. 프랑스군이 마지막 명령을 기다리고 있는 것이다.

그들은 저 아래에서 들려오는 피리 소리를 들었다. 노래를 부르는 소리들도 들려왔다.

"군인들이야." 탈보가 말했다. "저들은 자신들이 언제라도 죽을 수 있다는 걸 알고 있어. 그래서 저들에게 삶은 늘 큰 축제와도 같지."

로니는 삶에 대한 엄청난 집착을 느꼈다. 목소리들이 속삭였다. 탈보가 다른 여자들을 만날 것이고, 자식들을 낳을 것이고, 도시들에서 약탈해온 재물로 부자가 될 거라고. '하지만 다시는 아무도 너만큼 사랑하지는 못할 거야. 네가 그의 영원한 소울메이트이기 때문이지.'

그들은 서로를 꼭 껴안은 채 전사들의 노래를 들으며 눈 아래 펼쳐진 풍경을 한참 동안 바라보았다. 로니는 그 산이 과거에도 다른 전쟁들의 무대였다는 걸 느낄 수 있었다. 먼 과거, 목소리들조차 기억할 수 없는 머나먼 과거에.

"우린 영원할 거야, 탈보. 목소리들의 몸과 얼굴이 보이던 시절에 그들이 내게 그렇게 말해줬어."

탈보는 아내의 재능을 알고 있었다. 하지만 아내가 목소리들에 관한 이야기를 했던 것은 아주 오래전이었다. 너무 아파서 환청을 듣는 것일 수도 있었다.

"하지만 그 어떤 삶도 똑같지는 않을 거래. 그리고 우리가 다시 못 만날 수도 있대. 내가 평생 동안 당신을 사랑했다는 걸 알아줘. 당신을 만나기 전부터 당신을 사랑했어. 당신은 나의 일부야.

나는 곧 죽을 거야. 다른 날과 마찬가지로 내일도 죽기에 좋은 날이니, 사제들과 함께 죽으면 좋겠어. 세상에 대한 그 사람들의 생각을 한 번도 이해한 적은 없지만, 그들은 언제나 나를 이해해줬어. 다음 생에 닿을 때까지 저들과 함께하고 싶어. 전에도 다른 세상들에서 살아본 적이 있으니 내가 그들의 훌륭한 길잡이가 될 수 있을지도 몰라."

로니는 운명이 얼마나 아이러니한지 생각했다. 그녀는 목소리들 때문에 자신이 화형대로 가게 될지도 모른다는 생각에 그들을 두려워했었다. 그럼에도 불구하고, 화형대는 그녀가 가야 할 길이었다.

탈보는 아내를 바라보았다. 그녀의 두 눈은 이제 그 빛을 잃어가고 있었지만, 아내는 처음 만난 그 순간처럼 여전히 매혹적이었다. 그에게는 한 번도 아내에게 말하지 않은 것이 있었다. 전쟁에서 전리

품으로 획득한 여자들, 세상을 두루 돌아다니면서 만난 여자들, 언젠가 돌아오리라는 희망을 품고 그를 기다리는 여자들. 그들에 대해서 그는 한 번도 아내에게 말한 적이 없었다. 그 모든 것을 아내는 알고 있고, 그에 대한 그녀의 사랑은 위대하고, 그 사랑은 세상 모든 것 위에 있으므로 그녀가 그를 용서하리라는 확신이 있어서였다.

하지만 그가 말하지 않은 것이 또 있었다. 아마 아내는 절대 알지 못하리라. 바로 아내의 애정과 그녀가 주는 기쁨 덕분에, 그녀라는 존재 덕분에 그가 다시 삶의 의미를 되찾았다는 것을. 이 여인의 사랑 때문에 그는 가장 먼, 세상의 끝까지 가서 싸웠다. 밭 한 뙈기라도 사서 아내와 함께 여생을 평화롭게 살기 위해 그는 부자가 되어야 했다. 이 연약한 피조물에 대한 엄청난 신뢰가 그를 명예롭게 싸우도록 했다. 전투가 끝나면 그녀의 품안에서 그 공포를 잊을 수 있다는 믿음 때문에. 그런데 지금, 그 연약한 피조물의 영혼이 꺼져가고 있었다. 세상에는 많은 여자들이 있지만, 그녀의 품만이 진정 그가 쉴 수 있는 곳이었다. 눈을 감고, 아이처럼 곤히 잠들 수 있는.

"탈보, 사제를 불러줘." 그녀가 말했다. "콘솔라멘툼을 받고 싶어."

탈보는 잠시 망설였다. 어떻게 죽을 것인지를 택할 수 있는 건 전사들뿐이다. 하지만 그의 앞에 있는 이 여자는 사랑에 목숨을 바쳤다. 어쩌면 그녀는 사랑이라는 이름의 기이한 전쟁을 치러온 것일 수도 있었다.

그는 일어나 성벽 계단을 내려갔다. 로니는 아래쪽에서 들려오는 음악소리에 정신을 집중하려고 애썼다. 그 소리가 죽음을 더 편하게 해주었다. 그러는 동안에도 목소리들은 끊임없이 말을 걸어왔다.

'모든 여자는 살아가면서 '네 개의 계시의 반지'를 사용할 수 있어. 그런데 너는 오직 하나밖에 택하지 않았고, 게다가 그것은 잘못 고른 반지야.'

로니는 자기 손가락을 내려다보았다. 상처투성이에다 손톱은 때가 끼어 시커멨다. 반지는 없었다. 목소리들이 웃는다.

'무슨 말인지 알잖아.' 목소리들이 말했다. '처녀, 성녀, 순교자, 마녀.'

목소리들이 무슨 말을 하는지 로니도 마음으로는 알고 있었다. 하지만 기억이 나지 않았다. 아주 오래전, 사람들이 다른 식으로 옷을 입고 다른 눈으로 세상을 바라보던 시절에 그녀는 그것이 무엇인지 알고 있었다. 그 시절, 그녀는 다른 이름을 가지고 있었고, 다른 언어로 말했다.

'그것은 여자가 우주와 대화를 나눌 수 있는 네 가지 방법이야.' 그 오래전 일들을 되새기는 것이 그녀에게 아주 중요하다는 듯 목소리들이 말했다. '처녀는 남자와 여자의 힘 두 가지를 모두 가지지. 그녀는 '고독'이라는 형벌을 받지만, 그 고독은 비밀을 드러내 보여주지. 그것이 처녀가 치르는 대가인 거야. 그녀는 아무도 필요로 하지 않고, 만인을 위한 사랑에 자신을 소진하고, 고독을 통해 세상의 지혜를 발견하지.'

로니는 저 아래의 병영을 계속 바라보고 있었다. 그래, 그녀는 알고 있었다.

'그리고 순교자는 고통과 괴로움이 감히 해하지 못하는 이들의 힘을 가지고 있어. 순교자는 스스로를 내어주고 고통당하면서, '희생'을 통해 세상의 지혜를 발견하지.'

로니는 다시 자기 손을 내려다보았다. 그 손가락에는, 눈에 보이지 않는 빛을 발하는, 순교자의 반지가 끼워져 있었다.

'너는 성녀의 계시를 택할 수도 있었어. 그것도 네게 맞는 반지는 아니지만.' 목소리들이 말했다. '성녀는 오직 '주는 것'만이 받는 길임을 아는 용기를 지녔지. 성녀는 바닥이 없는 우물과도 같아. 사람들이 끊임없이 길어올려 마셔대는 우물 말이야. 우물이 마르면, 성녀는 사람들이 목마르지 않도록 자신의 피를 내어줘. 성녀는 '내어줌'을 통해 세상의 지혜를 발견하지.'

목소리들이 잠잠해지기 시작했다. 돌계단을 올라오는 탈보의 발소리가 들려왔다. 그녀는 이번 생에서 자신의 반지가 어떤 것이어야 했는지 알고 있었다. 이전 생들에서 끼던 반지와 같은 것이었다. 그때 그녀는 다른 이름을 가졌고, 다른 언어로 말했다. 그 반지를 끼면 '쾌락'을 통해 세상의 지혜를 발견할 수 있었다.

하지만 그녀는 그것을 기억하고 싶지 않았다. 보이지 않는 순교자의 반지가 그녀의 손가락에서 빛을 발하고 있었다.

탈보가 다가왔다. 그를 향해 눈을 든 순간, 불현듯 로니는 밤이 마법과도 같은 광채를 발하는 것을 보았다. 꼭 환한 대낮 같았다.

'일어나.' 목소리들이 말했다.

하지만 이번에는 달랐다. 한 번도 들어본 적이 없는 목소리였다. 누군가 자기 왼쪽 손목을 주무르는 게 느껴졌다.

"자, 브리다, 어서 일어나."

그녀는 두 눈을 떴다가 얼른 다시 감았다. 햇빛이 너무 강렬했다. '죽음'이란 기묘한 것이었다.

"눈을 떠." 위카가 다시 한번 말했다.

하지만 그녀는 성으로 돌아가야 했다. 사랑하는 남자가 사제를 부르러 갔다. 이렇게 도망칠 수는 없었다. 그는 혼자였고, 그녀를 필요로 했다.

"당신의 재능이 무엇인지 말해봐."

위카는 생각할 틈을 주지 않았다. 그녀가 굉장히 특별한 경험을, 타로카드 때보다 훨씬 강렬한 경험을 했다는 것을 알면서도 생각을 가다듬을 여유를 주지 않았다. 그녀는 브리다의 감정을 이해하지도 못했고 존중하지도 않았다. 그녀가 원하는 것은 오직 브리다의 재능을 알아내는 것이었다.

"당신의 재능이 무엇인지 말해봐." 위카가 반복해서 말했다.

브리다는 화를 억누르며 심호흡을 했다. 하지만 도리가 없었다. 위카는 그녀가 뭔가를 얘기할 때까지 계속 몰아쳐댈 것이다.

"나는 사랑에 빠진 여자였어……"

위카가 얼른 브리다의 입을 막았다. 그러고는 일어나더니 허공에 대고 몇 가지 이상한 동작을 한 후 다시 그녀를 바라보았다.

"신은 말씀이야. 조심해! 언제 어떤 상황에서든 말을 조심해야 해."

브리다는 위카가 왜 이런 반응을 보이는지 알 수 없었다.

"신은 만물을 통해 현현하시지. 하지만 말은 그중에서도 신께서 가장 선호하는 방법이야. 말은 울림으로 바뀐 생각이거든. 말을 한다는 것은 그전까지는 그저 에너지에 불과했던 것들을 공중에 투사하는 것과 같아. 한마디, 한마디에 각별히 주의해야 해." 위카는 말을 이어나갔다.

"말은 그 어떤 의식(儀式)보다 강력한 힘을 가지고 있어."

브리다는 여전히 이해할 수 없었다. 자신이 겪은 일을 말이 아니면 무엇으로 표현한단 말인가.

"당신이 한 여자를 입에 올렸을 때, 당신은 그녀가 아니야. 당신은 그저 그 여자의 일부였지. 다른 사람도 당신과 똑같은 기억을 가질 수 있어."

브리다는 도둑맞은 듯한 기분이었다. 그 여자는 강인했고, 그래서 다른 어느 누구와도 그녀를 공유하고 싶지 않았다. 게다가 탈보가 있었다.

"당신의 재능이 무엇인지 말해봐." 위카가 재차 요구했다. 브리다가 이 경험에 홀려 멍하니 있게 내버려둘 수 없었다. 시간을 거슬러 올라가는 여행은 많은 문제를 일으키는 법이다.

"말씀드릴 게 많아요. 아무도 내 말을 믿어주지 않을 테니 당신께라도 말해야겠어요. 제발 부탁이에요." 브리다가 애원했다.

브리다는 얼굴 위로 빗방울이 떨어진 순간부터 시작해 모든 것을 이야기하기 시작했다. 경이를 믿는 누군가와 함께하는 기회를 잡았는데, 그 기회를 놓칠 수는 없었다. 그녀는 위카 외에는 아무도 자신의 말에 이렇게 진지하게 귀 기울여주지 않으리라는 것을 잘 알고 있었다. 삶이 얼마나 마법 같은 것인지, 사람들은 그걸 알기를 두려워하니까. 사람들은 집과 직장, 그리고 자신이 기대하는 바에만 익숙했다. 만약 누군가 나타나 시간을 거슬러 오르는 여행이 가능하고, 우주에 떠 있는 성을 볼 수 있고, 이야기를 들려주는 타로카드가 있고, '어두운 밤' 속을 걷는 남자들이 있다고 한다면, 그들은 삶에 기만당했다고 느낄 것이다. 그들은 평생 그런 경험을 한 적이 없고, 그들의 삶은 나날이 똑같은 낮이고, 똑같은 밤이고, 똑같은 주말이기 때문이었다.

그렇기 때문에 브리다는 이 기회를 붙잡아야 했다. 말이 신이라면, 그녀를 둘러싼 공기중에 기록해두어야 했다. 그녀가 전생까지 시간여행을 다녀왔다는 것을, 그리고 지금 이 순간 이 숲속을 바라보듯 하나하나 생생히 기억나는 모든 것들을. 그래야 나중에 누군가 그녀에게 그런 일은 절대로 일어난 적이 없다고 증명해 보이더라도, 시간이 흐르고 장소가 바뀌어 그녀 자신이 그 모든 것을 의심하게 되더라도, 그리하여 결국 그녀 자신조차 그것이 환영이었다고 확신하게 되더라도, 그날 오후 이 숲속에서 그녀가 한 말은 여전히 공기중에 울리고 있을 것이고, 적어도 한 사람만은, 마법이 생의 한 부분을 이루는 그 사람만은 이 모든 일이 정말로 일어났다는 것을 알게 되리라.

브리다는 성(城)과 노란 십자가가 수놓인 검은 옷을 입은 사제들에 대해, 모닥불들이 줄지어 타오르는 계곡의 모습에 대해, 말하지 않아도 그녀가 읽을 수 있었던 남편의 생각들에 대해 이야기했다. 위카는 진득하니 그녀에게 귀를 기울였지만, 그녀가 관심을 보인 것은 로니의 머릿속에서 울리던 목소리들에 대해 이야기할 때뿐이었다. 목소리들에 관한 이야기를 하자 위카는 로니의 말을 끊고 그 목소리들이 남자의 것이었는지 여자의 것이었는지(남자이기도 하고 여자이기도 했다), 그것들에 공격성이나 위안 같은 어떤 감정이 담겨 있었는지(감정이 일절 배제된 목소리였다), 원할 때마다 목소리들을 불러낼 수 있는지(그건 알 수 없었다. 그럴 만한 시간이 없었다)를 물었다.

"좋아, 이제 돌아가도록 하지." 위카는 망토를 벗어 다시 가방 안에 넣었다. 브리다는 실망했다. 칭찬받을 거라고 생각했다. 아니, 최소한 설명이라도 들을 줄 알았다. 하지만 위카는 객관적인 태도로 환자를 바라보는 의사와도 같았다. 증상을 받아적는 데만 신경 쓸 뿐, 그 증상들이 일으키는 통증과 괴로움은 이해하려고도 하지 않는.

돌아오는 길은 길었다. 브리다가 그 이야기를 꺼내려 할 때마다 위카는 물가가 올랐다느니, 오후 막바지의 교통체증이 어떻다느니, 건물 관리인이 어떤 문제를 일으키고 있다느니 하는 것으로 화제를 돌렸다.

그녀의 집 소파에 다시 마주 앉을 때에야 위카는 그 경험에 관한 이야기를 꺼냈다.

"당신에게 한 가지 말해주고 싶은 게 있어." 위카가 말했다. "당신이 경험한 감정을 설명하려고 애쓰지 마. 모든 감정을 강렬하게 살아봐. 그리고 당신이 느끼는 감정을 신께서 주신 선물처럼 고이 간직하는 거야. 이해하는 것보다 살아가는 것이 더 중요한 세상을 더이상 감당하지 못하겠다 싶으면 그때 마법을 포기하면 돼.

보이는 세계와 보이지 않는 세계를 잇는 다리를 파괴하는 가장 확실한 방법은 감정을 설명하려고 애쓰는 거야."

감정은 야생마와도 같았다. 그리고 브리다는 어떤 순간에도 이성이 감정을 완벽히 장악할 수 없다는 것을 잘 알고 있었다. 언젠가 사소한 이유로 남자친구가 그녀를 떠난 적이 있었다. 브리다는 몇 달이고 집 안에 틀어박혀, 떠나간 남자친구의 수백 가지 결점과 그들의 관계에서 잘못된 점 수천 가지를 생각해내며 하루종일 되씹고 또 되씹었다. 하지만 매일 아침 깨어날 때면 다시 그가 생각났고, 그에게서 전화가 오면 결국 나가서 만나게 되리라는 걸 알았다.

부엌에 있는 개가 짖어댔다. 방문시간이 끝났다는 신호였다.

"제발 부탁이에요! 제대로 얘기하지도 못했잖아요!" 그녀가 애원했다. "그럼 딱 두 가지만 물을게요."

위카가 일어났다. 이 아가씨는 꼭 마지막 순간이 임박해야 중요한 질문을 한단 말이지.

"제가 본 사제들이 실제로 존재했는지 알고 싶어요."

"우리는 굉장히 특별한 경험을 하고, 채 두 시간도 지나지 않아 그 경험이 상상력의 산물이었다고 자기 자신을 설득하려 하지." 위카가 서가로 발길을 돌리며 말했다. 브리다는 아까 숲속에서 경이를 두려워하는 사람들을 어떻게 여겼던가를 떠올렸다. 그리고 자신이 부끄러워졌다.

위카는 책 한 권을 들고 돌아왔다.

"카타르파 혹은 '완전한 자들'은 12세기 말 프랑스 남부에 세워진 교회의 사제들이야. 그들은 환생과 절대 선과 절대 악을 신봉했지.

세상은 선택받은 자들과 그렇지 못한 자들로 나뉘었고, 그런 이유로 그들에게 개종시키려는 노력은 무의미했어.

랑그도크 지방의 봉건 영주들은 세속적 가치에 무관심한 카타르 교인들을 보고 그들의 종교를 받아들였어. 그 당시 가톨릭교회가 부과하는 무거운 세금을 피할 명분도 되었거든. 그와 동시에 선인과 악인은 태어나기 전부터 이미 정해져 있기 때문에 카타르 교파는 성性에 관련해서, 특히 여성에 대해서 매우 관대한 입장을 취했지. 그들은 오직 성직 서품을 받은 이들에게만 엄격했어.

카타르파가 여러 도시들로 퍼지기 시작할 때까지는 아무 문제가 없었어. 가톨릭교회가 위협을 느끼고 이단들을 처단하겠다며 십자군을 조직하기까지는. 사십 년 동안 카타르파와 가톨릭은 피비린내 나는 전쟁을 치렀어. 하지만 결국은 여러 국가의 지지를 등에 업은 가톨릭 세력이 이 새로운 종교를 받아들인 도시들을 모두 파괴했지. 피레네 산맥에 있는 몽세귀르 요새만은 끝까지 남았는데, 그곳에서 카타르파 교인들은 물자를 지원해주던 비밀통로가 발각될 때까지 저항을 계속했어. 1244년 3월의 어느 날 아침, 성은 항복을 선언했고, 그날 220명의 카타르파 교인들은 노래를 부르면서 성 아래 산기슭에 지펴진 거대한 불 속으로 뛰어들었지."

위카는 무릎 위에 책을 덮어둔 채로 모든 이야기를 들려주었다. 그리고 이야기를 마치고 나서야 책을 펼쳐 사진 한 장을 찾았다.

브리다는 그 사진을 보았다. 폐허였다. 성탑은 거의 산산조각이 나 있었다. 그러나 성벽만은 손상되지 않은 채 그대로였다. 그곳에 마당이 있었고, 로니와 탈보가 올라갔던 계단과, 성벽과 성탑의 일부를 이루던 바위가 있었다.

"내게 묻고 싶은 것이 하나 더 있다고 했나?"

이제 그 질문은 중요하지 않았다. 브리다는 더는 제대로 생각할 수가 없었다. 기분이 묘했다. 얼마간 애쓴 후에 그녀는 자신이 무엇을 알고 싶어했는지 떠올렸다.

"왜 저 때문에 시간을 낭비하고 계시는지 알고 싶어요. 왜 저를 가르치려고 하시는지요."

"전승이 내게 그것을 요구하니까." 위카가 대답했다. "당신은 거듭된 환생에도 많이 나뉘지 않았어. 당신은 내 친구들이나 나와 같은 범주에 드는 사람이야. 우리는 달 전승을 유지하는 임무를 부여받은 사람들이지.

당신은, 마녀야."

브리다는 위카의 다음 말을 듣지 않았다. 다음에 만날 약속을 잡아야겠다는 생각조차 머릿속에 없었다. 그 순간 그녀가 바라는 것은 오직 그 집에서 나가는 것이었다. 그리고 벽에 난 균열, 땅바닥에 떨어진 담뱃갑, 경비실 책상 위에 잊어버리고 온 우편물과 같은, 익숙한 세상으로 그녀를 데려다줄 물건들로 되돌아가고 싶은 마음뿐이었다.

'내일 일해야 하는데.' 갑자기 시간이 신경 쓰였다.

집으로 돌아가는 길에 그녀는 지난주 회사의 수출 송장 건과 관련된 계산들에 골몰하기 시작했다. 그리고 행정절차 몇 가지를 간소화

할 수 있는 좋은 방법 하나를 떠올렸다. 그녀는 굉장히 흡족했다. 자기가 지금 한 일을 상사가 매우 마음에 들어할 것 같았다. 또 누가 알겠는가, 월급이라도 올려줄지.

그녀는 집에 도착해 저녁식사를 하고 잠시 텔레비전을 보았다. 그리고 수출 관련 계산을 종이에 옮겨 적었다. 그러고는 기진맥진해서 침대 위로 쓰러졌다.

수출 송장은 그녀의 삶에서 중요한 것이었다. 그녀는 그런 종류의 일을 하고 월급을 받았다.

그 밖에는 존재하지 않았다. 다른 것들은 모두 거짓말이었다.

일주일 내내 브리다는 정해진 시간에 일어나 회사에 출근해서 그보다 더 열심일 수 없을 만큼 일했고, 상사에게서 그에 합당한 칭찬을 받았다. 대학교 수업도 빠지지 않았고, 가판대에 비치된 신문과 잡지들에 나오는 모든 사건들에 관심을 보였다. 어떻게든 생각이라는 것을 하지 말아야 했다. 산에서 마법사를 만나고 시내에서 마녀를 만난 일이 저도 모르게 떠오를 때면, 다음 학기에 치러야 할 시험이나 친구가 다른 친구에 대해 한 이야기를 떠올리며 그 기억들을 뇌리에서 몰아냈다.

금요일이 되었고, 영화관에 가기 위해 남자친구가 교문 앞으로 그녀를 데리러 왔다. 영화를 본 후, 그들은 단골 바(bar)에 들러 영화와 그들의 친구들, 그리고 각자의 일에 대해 얘기했다. 그리고 파티에 다녀온 친구들과 우연히 만나, 더블린에는 언제고 문이 열려 있는 식당이 있다는 것에 하느님께 감사하며 함께 저녁식사를 했다.

새벽 두시에 친구들과 헤어진 두 사람은 그녀의 집으로 향했다. 집에 도착하자 그녀는 아이언 버터플라이의 음반을 올려놓고 위스키 더블을 준비했다. 그들은 꼭 껴안은 채, 아무 말 없이 소파에 누워 있었다. 남자친구가 그녀의 머리카락을 쓰다듬다가 잠시 후 가슴을 애무했다.

"정신없는 일주일이었어." 브리다가 갑자기 입을 열었다. "쉬지 않고 일했고, 시험공부에다, 필요한 물건들을 사느라 쇼핑까지 했다니까."

레코드판이 다 돌자 그녀는 판을 뒤집기 위해 일어났다.

"부엌 찬장 문 떨어져 있었던 거 알지? 드디어 짬을 내서 사람을 불러 그것도 고쳤잖아. 은행에도 몇 번이나 갔는지 몰라. 한 번은 아빠가 보내준 돈을 찾으러 갔고, 한 번은 회사 수표를 입금하러 갔고, 그리고 또 한 번은……"

로렌스가 그녀를 뚫어져라 바라보고 있었다.

"왜 나를 그렇게 빤히 보는 거야?" 그녀가 물었다.

그녀의 목소리는 공격적이었다. 소파에 누운 채, 그녀를 지그시 바라보며 재미있는 이야기 한마디 하지 못하는 이 남자는 대체 누구인가? 정말 기이한 일이다. 그녀는 그가 필요치 않았다. 그녀는 아무도 필요하지 않았다.

"왜 그렇게 빤히 보냐니까?" 그녀가 다시 물었다.

하지만 그는 아무 말도 하지 않았다. 그는 일어나 다정하게 그녀를 데리고 다시 소파로 갔다.

"내가 하는 말은 전혀 듣고 있지 않잖아." 브리다가 당황해하며 소리 질렀다.

로렌스가 다시 그녀의 몸을 꼭 감싸안았다.

'감정은 야생마와도 같아.'

"다 말해봐." 로렌스가 다정하게 말했다. "네 결정을 듣고 존중해 줄게. 다른 남자가 있다 해도. 헤어지자고 해도.

우리는 꽤 오랜 시간을 함께했어. 나는 너를 완벽하게 알진 못해. 네가 누군지는 몰라도, 네가 너 자신이 아닐 때는 알 수 있어. 그리고 오늘 밤 내내 너는 네가 아니었어." 브리다는 울고 싶어졌다. 하지만 '어두운 밤', 이야기를 하는 타로카드, 마법에 걸린 숲 때문에 이미 많은 눈물을 흘렸다. 감정은 야생마와 같아서, 결국 이제는 그것들을 자유로이 풀어줄 수밖에 없었다.

그녀는 그의 앞에 앉았다. 마법사도 위카도 이렇게 마주 앉는 걸 좋아한다는 것을 떠올리면서. 그러고는 산에서 마법사를 만난 일부터 시작해 그동안 있었던 일을 모두 한달음에 이야기했다. 로렌스는 한마디도 하지 않고 듣기만 했다. 위카가 보여준 책 속의 사진에 관해 그녀가 이야기했을 때, 로렌스는 수업중에 이미 카타르 교파에 대해 들은 적은 없었느냐고 물었다.

"내가 하는 이야기를 믿지 못한다는 거 알아." 그녀가 대답했다. "넌 이게 내 무의식 때문이라고, 내가 이미 알고 있는 걸 기억해낸 거라고 생각하겠지. 하지만 아니야, 로렌스. 나는 카타르 교파에 대해서는 한 번도 들어본 적이 없어. 하지만 그래도 넌 이 모든 것에 대한 설명을 가지고 있겠지."

그녀의 손이 제어할 수 없을 정도로 마구 떨렸다. 로렌스는 일어나더니 종이 한 장을 집어들고는 약 20센티미터 간격으로 구멍을 두 개 뚫었다. 그러고는 테이블 위의 위스키 병에 기대 수직으로 세워놓았다.

그러고 나서 부엌에서 코르크 마개를 가지고 왔다. 그는 테이블 맡에 앉아, 병과 종이를 다른 쪽 끝에 세워놓았다. 그리고 코르크를 자기 앞에 놓았다.

"이리 와봐." 그가 그녀에게 말했다.

브리다가 일어섰다. 그녀는 부들부들 떨리는 양손을 감추려고 애썼지만 그는 그다지 신경 쓰는 것 같지 않았다.

"이 코르크 마개가 원자를 이루는 작은 입자인 전자라고 상상하자고. 알았지?"

그녀가 고개를 끄덕였다.

"그럼, 잘 들어. 여기 엄청 복잡한 '전자 발사' 기계가 있다고 하자. 그리고 저 종이를 향해 발사하면, 전자는 저 두 개의 구멍을 동시에 통과하는 거야. 알겠어? 전자가 분리되지 않은 채 두 개의 구멍을 동시에 통과하는 거지."

"못 믿겠어." 그녀가 말했다. "그건 불가능해."

로렌스가 종이를 집어 쓰레기통에 던져넣었다. 그러고는 코르크 마개를 제자리에 다시 갖다놓았다. 그는 정리정돈을 잘하는 남자였다.

"믿지 못하겠지만 이건 사실이야. 모든 과학자들이 그 사실을 알고 있지. 그것을 설명할 수는 없다 해도.

나도 네가 한 이야기를 믿지 못해. 하지만 그 말이 사실이라는 건 알아."

브리다의 양손은 여전히 떨리고 있었다. 하지만 이제 그녀는 울지도, 자제력을 잃지도 않았다. 술이 완전히 깼다는 것만이 확실히 느껴졌다. 머릿속이 맑았다. 이상할 정도로 맑았다.

"과학의 미스터리에 봉착했을 때, 과학자들은 어떻게 해?"

"네가 나한테 가르쳐준 용어를 사용하자면, '어두운 밤' 속으로 들어가지. 미스터리가 절대로 사라지지 않는다는 걸 알기 때문에 우리는 그것을 받아들이고, 또 그것과 공존하는 법을 배우지.

살면서 이런 일들은 여러 가지 상황에서 일어난다고 봐. 아이를 키우는 어머니는 어두운 밤에 내던져진 기분일 거야. 일자리와 돈을 좇아 머나먼 타국으로 떠나온 이민자들도 그렇고. 모든 이들은 자신의 노력이 보상받을 거라고, 그 순간에는 두렵기 그지없지만 언젠가는 지난 일들을 이해할 수 있을 거라고 믿고 있지.

우리를 앞으로 나아가게 하는 것은 설명이 아니야. 더 멀리 가고자 하는 우리의 의지지."

갑자기 엄청난 피로가 몰려들었다. 브리다는 잠을 자야 했다. 잠만이 그녀가 자유로이 들어갈 수 있는 유일한 마법의 왕국이었다.

그날 밤, 브리다는 나무가 우거진 섬들과 바다가 나오는 아름다운 꿈을 꾸었다. 새벽에 깨어나 로렌스가 옆에서 자고 있는 것을 보고 그녀는 기뻤다. 그녀는 일어나 창가로 다가가 아직 잠들어 있는 더블린을 바라보았다.

아버지 생각이 났다. 무서움에 떨며 잠에서 깨어나면 아버지는 곧잘 그녀를 이렇게 창가로 데려갔다. 추억을 떠올리자 어린 시절의 또 다른 장면이 생각났다.

그녀와 아버지는 바닷가에 함께 있었다. 아버지는 그녀에게 바닷물의 온도가 괜찮은지 알아보라고 했다. 다섯 살인 그녀는 아버지를 도울 수 있다는 게 신이 나, 바닷물에 다가가 두 발을 담가보았다.

"발을 집어넣어봤는데 차가워요." 아버지에게 돌아온 브리다가 말했다.

아버지는 그녀를 번쩍 안아올려 바닷물까지 데리고 가더니, 아무 말 없이 물속에 풍덩 집어넣었다. 그녀는 깜짝 놀랐지만, 곧 이것이 아버지의 장난이라는 걸 알고 재미있어했다.

"물이 어떠니?" 아버지가 물었다.

"좋아요." 그녀가 대답했다.

"그래, 이제 앞으로 뭔가를 알고 싶으면 그 안에 푹 빠져보도록 해."

그녀는 그 가르침을 곧 잊었다. 겨우 스물한 살밖에 되지 않았지만 그녀는 다방면에 관심을 가지고 있었고, 열광했던 만큼이나 빠른 속도로 포기하곤 했다. 역경에 대한 두려움은 없었다. 그녀가 두려워하는 것은 오직 하나의 길만을 선택해야 한다는 강요였다.

하나의 길을 선택한다는 것은 다른 길들을 포기해야 한다는 의미였다. 그녀에게는 앞으로 살아갈 날들이 많았고, 지금 하고 싶은 일들 때문에 훗날 후회하게 될지도 모른다는 생각에 늘 시달렸다.

'온몸을 던지는 게 두려운 거야.' 그녀는 생각했다. 가능한 한 모든 길을 가보고 싶었지만, 결국엔 아무 데도 가보지 못한 셈이 되었다.

인생에서 가장 소중한 것으로 꼽는 사랑에서조차 그녀는 끝까지 가보지 못했다. 첫 실연 이후로는 자기 자신을 온전히 내줄 수가 없었다. 그녀는 고통과 상실감, 어쩔 수 없는 이별을 두려워했다. 물론 사랑의 길에서 이런 일들은 늘 존재했고, 그것들을 피할 유일한 방법은 그 길을 포기하는 것이었다. 고통받지 않으려면 아예 사랑을 하지 말아야 했다.

그것은 살아가면서 나쁜 것들을 보지 않기 위해 두 눈을 파내는 것이나 다름없는 일이었다.

'인생은 너무 복잡해.'

위험을 감수해야 했다. 어떤 길들은 계속 따라가고, 다른 길들은 포기해야 했다. 위카가 말했던, 옳은 길이 아니라는 것을 입증하기 위해 그 길을 걷는 사람들에 관한 이야기를 떠올렸다. 하지만 최악은 그것이 아니었다. 제일 나쁜 것은 자신이 그 길을 제대로 선택했는지 평생 의심하며 그 길을 가는 것이었다. 선택에는 늘 두려움이 따르기 마련이었다.

그러나 이것이 삶의 법칙이었다. 이것이 어두운 밤이었고, 아무도 거기서 도망칠 수는 없었다. 평생 아무런 결정도 내리지 못한 사람이라 해도, 아무것도 변화시킬 용기가 없는 사람이라 해도. 그조차도 그 자신이 내린 결정이고 변화이기 때문이었다. 어두운 밤에 숨겨진 보물들은 발견하지 못하겠지만.

로렌스의 말이 옳을지도 모른다. 어찌 됐든 나중에는 왜 그렇게 두려워했는지 웃으면서 이야기하게 될 것이다. 그녀가 숲에서 밤을 새우며 뱀이니 전갈이니 상상했던 것을 두고 나중에 웃었듯이. 그때 그녀는 절망에 빠져, 아일랜드의 수호성인인 성 패트릭이 아일랜드에서 뱀을 모조리 쫓아냈다는 것조차 떠올리지 못했다.

"로렌스, 네가 있어 얼마나 다행인지 몰라!" 브리다는 로렌스가 듣고 깰까봐 나지막하게 속삭였다.

그녀는 다시 침대 안으로 들어갔고 곧 다시 잠이 들었다. 그런데 잠들기 직전에 아버지와의 추억이 하나 더 떠올랐다. 일요일이었고, 온 식구가 할머니의 집에 모여 점심식사를 하고 있었다. 벌써 열네

살도 넘은 무렵이었을 것이다. 그녀는 학교에서 내준 숙제의 진도가 잘 안 나가자, 자기는 하는 일마다 모두 엉망이 돼버린다며 투덜거렸다.

"어쩌면 그런 실패에서 뭔가 배울 수도 있겠지." 아버지가 말했다. 하지만 브리다는 그렇지 않다며, 애초에 잘못된 방법으로 일을 시작해버렸으니 이제는 방법이 없다고 우겼다.

아버지는 그녀의 손을 잡고, 주로 할머니가 텔레비전을 보는 거실로 데리고 갔다. 거기에는 커다란 골동품 괘종시계가 걸려 있었다. 그 시계는 부속품이 없어 몇 년 전부터 멈춰 있었다.

"얘야, 이 세상에 완전히 잘못된 건 없단다." 아버지는 시계를 바라보며 말했다. "멈춰서 있는 시계조차 하루에 두 번은 시간이 맞잖니."

그녀는 마법사를 만나기 위해 한참 동안 산을 걸어올라갔다. 마법사는 산꼭대기 근처의 바위에 앉아 서쪽으로 펼쳐진 산과 계곡을 바라보고 있었다. 풍경이 무척이나 아름다운 곳이었다. 브리다는 정령들이 그런 장소를 좋아한다는 것을 떠올렸다.

"신께서는 오직 아름다움의 신일까요?" 그녀가 그에게 다가가며 물었다. "그러면 이 세상의 못생긴 사람들과 추한 것들은 어떻게 되는 거죠?"

마법사는 아무 대답이 없었다. 브리다는 무안해졌다.

"저를 기억하지 못하시나봐요. 두 달 전에 이곳에 왔는데. 저 혼자 숲속에서 하룻밤을 보냈잖아요. 제 길을 발견한 후 다시 돌아오겠다고 저 자신과 약속했었죠.

그리고 위카라는 분을 만났어요."

마법사의 눈썹이 움찔했다. 그는 이 어린 여자가 아직 아무것도 눈치채지 못했다는 것을 알고 있었다. 이런 운명의 장난이라니, 그는 속으로 웃었다.

"위카는 제가 마녀라고 하더군요." 어린 여자는 계속 말을 이어나갔다.

"그녀를 믿지 않는가?"

브리다가 온 후 마법사가 처음으로 한 질문이었다. 내 말을 듣고 있긴 하구나, 그녀는 기뻐했다. 그때까지는 그가 자신의 말을 무시하는 건지 아닌지 알 수가 없었다.

"믿어요." 그녀가 대답했다. "그리고 달 전승도 믿어요. 하지만 당신이 제게 어두운 밤을 이해하라고 했을 때, 그걸 통해 태양 전승의 도움을 받았다는 것도 알아요. 그래서 여기 다시 온 거예요."

"그럼 여기 앉아 저녁노을을 감상하세." 마법사가 말했다.

"다시 저 혼자 숲속에 있고 싶진 않아요." 그녀가 대답했다. "전에 한 번 여기 왔을……"

마법사가 그녀를 제지했다.

"그런 말은 하지 말게. 신께서는 말씀이시니."

위카가 한 말과 똑같았다.

"제가 뭘 잘못 말했나요?"

"자네가 '한 번'이라고 말한다면 정말 한 번으로 그칠 수도 있어. 자네는 '전에 여기 왔을 때'를 말하고자 한 것이겠지."

브리다는 걱정이 됐다. 앞으로는 각별히 말조심을 해야 하리라. 그녀는 마법사가 시킨 대로 가만 앉아서 저녁노을이나 감상하기로 했다.

저녁노을을 바라보고 있자니 초조한 기분이 들었다. 해가 지려면 아직 한 시간 정도 남았고, 브리다는 말할 것도, 묻고 이야기할 것도 많았다. 그녀는 무언가를 바라보며 가만있을 때마다, 해야 할 일과 만나야 할 사람을 내동댕이쳐둔 채 소중한 시간을 낭비하고 있다는 기분이 들었다. 그녀는 언제나 좀더 효과적으로 시간을 쓸 수 있을 텐데, 하고 생각했다. 아직도 배울 게 너무 많았다. 그런데 태양이 지평선 가까이 내려올수록, 구름이 황금빛 광선과 장밋빛으로 물들어갈수록, 브리다는 그동안 치열하게 살아왔던 것이 이렇게 하루쯤 앉아서 저녁노을을 감상하기 위해서가 아니었을까, 하는 생각이 들었다.

"기도할 줄 아나?" 문득 마법사가 물었다.

물론 기도할 줄 알았다. 세상 누구라도 기도할 줄은 안다.

"그렇다면 해가 지평선에 닿는 순간 기도를 드리게. 태양 전승에서는 기도를 통해 인간과 신이 소통하지. 영혼에서 우러나오는 말로 기도를 드릴 때, 그것은 어떤 의식보다도 강력해지네."

"그렇다면 저는 기도할 줄 몰라요. 제 영혼이 침묵을 지키고 있거든요." 브리다가 대답했다.

마법사가 웃었다.

"오직 깨우친 위대한 자들의 영혼만이 침묵하는 법이네."

"그런데 왜 저는 영혼으로 기도할 줄 모르는 건가요?"

"영혼에 귀 기울여, 영혼이 뭘 원하는지 듣고자 하는 겸허함이 부족해서지. 자네는 영혼이 원하는 것을 듣기를 저어하는 거야. 그리고 그것을 신께 전하기를 두려워하지. 신께서 그런 데까지 신경을 쓰기에는 시간이 없다고 지레짐작을 하는 것이지."

그녀는 저녁노을을 마주하고, 현자 옆에 앉아 있었다. 하지만 이런 순간을 맞을 때마다 그녀는 자신이 그런 자리에 걸맞지 않은 사람이라는 생각이 들었다.

"맞아요, 제게는 자격이 없어요. 영적 탐색은 저보다 나은 사람들을 위한 것 같아요."

"그런 사람들이 설혹 있다면, 그들은 무언가를 탐색할 필요가 없겠지. 그들 자신이 이미 영혼의 현현 그 자체일 테니까. 구도는 우리 같은 사람을 위한 것이지."

그는 '우리 같은'이라고 말했다. 하지만 그는 그녀보다 훨씬 멀리 앞서 있었다.

"신은 높은 곳에 계시잖아요. 태양 전승에서도, 달 전승에서도." 브리다가 말했다. 전승은 결국 하나이고, 가르치는 방법이 다를 뿐이라는 걸 그녀는 이해한 것이다.

"그렇다면 기도하는 법을 가르쳐주세요, 부탁이에요."

마법사는 태양을 향해 고개를 돌리고 두 눈을 감았다.

"주여, 저희는 인간이고 저희의 위대함을 모릅니다. 주여, 저희가 필요한 것을 청할 수 있는 겸허함을 주십시오. 어떤 바람도 헛되지 않고, 어떤 요청도 무용하지 않기 때문입니다. 저희 모두는 자신의 영혼을 살찌우는 가장 좋은 방법을 알고 있습니다. 저희의 바람을, 당신의 영원한 지혜의 샘에서 흘러나온 것인 듯 바라볼 수 있는 용기를 주십시오. 주여, 자신의 바람을 그대로 받아들임으로써만 비로소 자신이 진정 누구인지 알 수 있나이다, 아멘."

그러고 나서 마법사는 말했다.

"자, 이제 자네 차례일세."

"주여, 살면서 제게 좋은 일들이 일어나는 것은 제가 그것들을 받을 자격이 있기 때문이라는 걸 깨닫게 하소서. 당신의 진리를 좇고자 저를 추동하는 힘이 성인들을 추동했던 것과 같은 것임을, 제가 품는 의심이 성인들이 품었던 의심과 같은 것임을, 저의 나약함이 그들의 나약함과 같은 것임을 깨닫게 하소서. 주여, 제가 다른 이들과 다르지 않다는 것을 받아들일 수 있도록 제게 겸허함을 허락하소서, 아멘."

그리고 그들은 저녁노을을 바라보며, 그날의 마지막 햇빛이 구름을 저버리고 사라질 때까지 침묵에 잠겼다. 그들의 영혼은 기도하고, 원하는 바를 청하고, 함께하고 있음에 감사드리고 있었다.

"마을에 있는 바(bar)로 가세." 마법사가 말했다.

브리다는 다시 신발을 신었고, 그들은 산을 내려가기 시작했다. 그녀는 마법사를 찾아 처음 산을 올랐던 그날을 다시 한번 떠올렸다. 그녀는 그때 일을 곱씹어보는 건 이번이 마지막이라고 자신에게 약속했다. 자신을 계속 이런 식으로 납득시킬 필요는 없었다.

마법사는 앞장서서 내려가는 어린 여자를 바라보았다. 그녀는 젖은 땅과 돌멩이에 익숙해 보이려고 애썼지만 매번 비틀거렸다. 그의 가슴이 기쁨에 살짝 벅차올랐지만, 그는 곧바로 다시 빗장을 걸어버렸다.

이따금 신의 축복은 모든 유리창을 산산조각 내며 찾아들기도 한다.

마법사는 산을 내려오면서 브리다가 옆에 있어서 참 좋다고 생각했다. 그 역시 모든 남자들과 똑같은 한 사람의 남자로, 똑같은 나약함과 똑같은 덕목을 지닌 사람이었다. 그리고 그 순간까지 그는 여전히 마스터라는 역할이 익숙지가 않았다. 처음에 사람들이 그의 가르침을 찾아 아일랜드 각지에서 숲으로 찾아왔을 때, 그는 태양 전승에 대해 이야기하며 그들에게 자기 주변에 있는 것들을 이해하라고 말했다. 신께서 그곳에 '당신의 지혜'를 담아놓았고, 약간의 훈련만 하면 그것을 이해할 수 있다는 것이 그의 말이었다. 태양 전승에 따라 가르치는 방식은 이미 2천 년 전에 사도 바오로에 의해 묘사된 바 있었다. "사실 나는 여러분에게 갔을 때 약하였고 두려워서 몹시 떨었습니다. 그리고 내가 말을 하거나 설교를 할 때에도 지혜롭고 설득력 있는 언변을 쓰지 않고 오로지 하느님의 성령과 그의 능력만을 드러내려고 하였습니다. 그것은 여러분의 믿음이 인간의 지혜에 바탕을 두지 않고 하느님의 능력에 바탕을 두게 하려는 것이었습니다."

그럼에도 사람들은 태양 전승에 관한 그의 설명을 이해하지 못하는 듯했다. 그리고 마법사 역시 다른 사람들과 다름없는 인간이라는 것에 실망했다.

그는 그런 게 아니라고 했다. 그는 마스터였고, 그가 하는 일은 지혜를 구하는 데 필요한 자기만의 방법을 각자에게 알려주는 것이었다. 하지만 사람들은 그 이상을 원했다. 그들은 안내자를 원했다. 그들은 '어두운 밤'을 이해하지 못했다. 그리고 밤의 어둠 속에서는 그 어떤 안내자도 자신이 가지고 있는 불빛으로 자신이 보고자 하는 것밖에 비추지 못한다는 것을 이해하지 못했다. 그리고 어쩌다 그 불빛이 꺼지기라도 하면, 그들은 돌아오는 길을 찾지 못해 헤맬 수도 있었다.

하지만 그들은 안내자를 필요로 했다. 좋은 마스터가 되기 위해 그 역시 다른 사람들의 요구를 받아들여야 했다.

그래서 그는 모두가 받아들이고 배울 수 있도록, 무용하지만 매혹적인 요소들로 수업을 채워나가기 시작했다. 그 방법은 성공적이었다. 사람들은 태양 전승을 배웠고, 마법사가 시킨 수많은 것들이 아무 짝에도 쓸모없다는 것을 마침내 깨닫고는 자조적인 웃음을 터뜨렸다. 그래도 마법사는 기뻤다. 결국 가르치는 방법을 터득했으니까.

그런데 브리다는 달랐다. 그녀의 기도는 마법사의 영혼에 와 닿았다. 그녀는 이 지구에 존재했고, 또 존재하는 그 어떤 인간 존재도 다른 사람들과 다르지 않다는 것을 이해했다. 과거의 위대한 마스터들이 모든 인간과 똑같은 자질과 결점을 지녔지만, 그렇다 해서 신을 좇는 그들의 능력이 떨어졌던 것은 아니라고 소리 높여 말할 수 있는 사람은 거의 없었다. 스스로 다른 이들보다 못하다고 생각하는 것은 그가 아는 오만함 중에서도 가장 극단적인 행태였다. 그것은 스스로 남달라 보이기 위해 행하는 가장 파괴적인 행위였으니까.

그들은 바에 도착했고, 마법사가 위스키 두 잔을 주문했다.

"여기 있는 사람들을 보세요." 브리다가 말했다. "매일 밤 여기에 오는 사람들일걸요. 늘 똑같은 하루하루를 보내겠죠."

순간 마법사는 브리다가 정말로 스스로를 다른 사람들과 똑같이 생각하는 걸까 의구심이 들었다.

"자네는 남 걱정을 지나치게 많이 하는군." 마법사가 대답했다. "타인은 자신을 비추는 거울이네."

"알아요. 저를 기쁘게 하고 슬프게 하는 것이 무엇인지 알고 있다고 생각했어요. 그런데 갑자기, 그 생각을 수정해야 한다는 걸 깨달은 거예요. 그게 어렵네요."

"무엇 때문에 생각이 바뀌었지?"

"사랑 때문에요. 저를 완전하게 채워주는 한 남자를 알아요. 사흘 전, 그는 자신의 세계 역시 신비로 가득 찼다는 걸 제게 보여줬어요. 이제 저는 혼자가 아니에요."

마법사는 애써 아무렇지도 않은 척하면서도, 유리창을 산산조각 내며 찾아드는 신의 축복을 떠올리고 있었다.

"그를 사랑하나?"

"제가 그를 더 많이 사랑할 수 있다는 걸 깨달았어요. 이 길이 지금 이 순간부터 제게 새로운 것을 하나도 가르쳐주지 않더라도, 저는 중요한 한 가지는 배웠어요. 위험을 감수해야 한다는 것이죠."

그는 그녀와 함께 산을 내려오면서 근사한 밤을 준비한 터였다. 그가 얼마나 그녀를 필요로 하는지, 그 역시 다른 남자들과 마찬가지로 얼마나 외로움에 지쳐 있는지를 보여주려고 했다. 그러나 그녀가 원하는 것은 그녀 자신의 질문들에 대한 대답뿐이었다.

"공기중에 뭔가 묘한 기운이 떠돌아요." 브리다가 말했다. "분위기가 바뀐 것 같아요."

"메신저들이야." 마법사가 대답했다. "인간이 만들어낸 악령들, 신의 왼팔이 아닌 존재들이지. 우리를 빛으로 이끌어주지 못하는 존재들이야."

그의 두 눈이 빛났다. 정말로 무언가가 바뀌었고, 그는 악마에 관해 이야기하고 있었다.

"신께서는 우리를 완벽하게 하시기 위해, 우리의 임무를 깨닫도록 하시기 위해 당신의 '왼팔'로 군단을 만드셨지." 그는 계속했다. "하지만 우리 인간으로 하여금 어둠의 힘을 모으고 이를 통해 스스로 악마를 만들어내는 짐도 지우셨어."

그리고 그것이 바로 지금 그가 하고 있는 일이었다.

"우리는 선한 힘도 모을 수 있어요." 브리다가 약간 두려워하며 말했다.

"아니, 우리에겐 그런 능력이 없어."

그는 그녀가 뭔가 질문이라도 해서 그의 정신을 분산시켜주기를 바랐다. 그는 악마를 만들고 싶지 않았다. 태양 전승에서 그것들은 메신저라고 불린다. 메신저들은 아주 선한 일이나 아주 악한 일을 행할 수 있다. 그들을 소환할 수 있는 것은 위대한 마스터들뿐이었다. 그는 위대한 마스터였지만 그들을 소환하고 싶지 않았다. 그 메신저들이 사랑의 좌절과 결합하면, 위험한 힘이 생겨날 수 있기 때문이었다.

브리다는 그의 대답을 듣고 당황했다. 마법사는 이상하게 행동하고 있었다.

"우리는 선한 힘을 불러모을 수 없어." 그는 자신의 말 한마디 한마디에 집중하기 위해 엄청난 노력을 기울이며 이야기를 계속했다. "선한 힘은 마치 빛처럼 언제나 퍼지게 되어 있어. 자네가 선한 떨림을 발산하면 자네는 온 인류를 이롭게 하는 것이야. 하지만 메신저들의 힘을 끌어모으면 오직 자네 자신만을 이롭게 하거나 해롭게 할 뿐이지."

마법사의 두 눈이 빛을 발하고 있었다. 그는 바 주인을 불러 계산서를 청했다.

"우리집으로 장소를 옮기세." 그가 말했다. "차를 대접하겠네. 자네 인생에서 가장 중요한 질문들을 해도 좋아."

브리다는 망설였다. 그는 매력적인 남자였다. 그리고 그녀 역시 매력적인 여자였다. 그녀는 그날 밤 자신의 배움이 망가질까봐 두려웠다.

'위험을 감수해야 해.' 그녀는 자신에게 반복해서 말했다.

마법사의 집은 마을에서 약간 외진 곳에 있었다. 브리다는 그의 집이 위카의 집과는 많이 다르지만 아늑하고 잘 꾸며져 있다고 생각했다. 하지만 책은 단 한 권도 눈에 띄지 않았다. 가구도 별로 없이 거의 비어 있었다.

그들은 부엌에서 차를 준비해 다시 거실로 나왔다.

"오늘은 왜 나를 찾아왔나?" 마법사가 물었다.

"무언가를 알게 되면 그때 다시 돌아오겠다고 저 자신에게 약속했거든요."

"그래서 알게 되었어?"

"조금은요. 길이 단순하다는 걸 알게 되었죠. 그런데, 그래서 생각했던 것보다 훨씬 어려워졌어요. 하지만 제 영혼을 단순하게 하려고 해요. 첫 질문을 할게요. 왜 저 때문에 시간을 낭비하시는 건가요?"

'네가 나의 소울메이트이기 때문이지.' 마법사는 생각했다.

"내게도 대화를 나눌 누군가가 필요하기 때문이지." 그가 대답했다.

"제가 선택한 달 전승의 길을 어떻게 생각하시나요?"

마법사는 진실을 말해야 했다. 비록 그것이 진실이 아니기를 바랐지만.

"그게 자네의 길이지. 위카의 말이 전적으로 옳아. 자네는 마녀야. 그리고 시간의 기억을 통해 신께서 가르치신 바를 배우게 될 거야."

그리고 그는 삶이 왜 이런 식인지, 자신의 소울메이트를 만났는데 그녀가 깨우칠 수 있는 길이 왜 달 전승뿐인지 자문했다.

"마지막으로 질문이 하나 더 있어요." 브리다가 말했다. 이제 시간이 꽤 늦어서 곧 버스가 끊길 수도 있었다. "저는 이 질문에 대한 답을 꼭 알아야 해요. 그리고 위카는 그 답을 가르쳐주지 않으리라는 걸 알아요. 그녀 역시 저와 같은 여자이기 때문이죠. 그녀는 제 마스터이지만 이 문제에서만큼은 항상 여자일 거예요.

제 소울메이트를 어떻게 만날 수 있는지 알고 싶어요."

'너의 소울메이트는 바로 네 앞에 있어.' 마법사가 생각했다.

하지만 그는 대답하지 않고 응접실 구석으로 가서 불을 껐다. 오로지 아크릴로 만든 조각 작품만 밝혀두었다. 그의 집에 들어왔을 때 보지 못한 물건이었다. 안에 물이 채워져 있었고, 거품들이 오르내리면서 방 안을 붉고 파란 빛으로 채웠다.

"우리는 이제 두 번 만났네." 마법사가 그 조각을 뚫어져라 바라보며 말했다. "나는 태양 전승을 통해서만 가르칠 수 있어. 태양 전승은 피조물들이 오랜 선조 때부터 대대로 지니고 있던 지혜를 깨우쳐주지."

"태양 전승에서는 어떻게 소울메이트를 알아보나요?"

"그것이야말로 대지 위를 살아가는 모든 사람들이 궁구하는 것이야." 마법사는 저도 모르게 위카의 방식으로 말하고 있었다.

'어쩌면 둘 다 같은 마스터한테 배웠는지도 몰라.' 브리다가 생각했다.

"그리고 태양 전승은 모든 사람들이 자기 소울메이트를 알아볼 수 있도록 세상에 그 표지를 두었어. 바로 눈의 특별한 반짝임이 그것이지."

"눈 속의 반짝임이라면 이미 수도 없이 봤는걸요." 브리다가 말했다. "오늘만 해도 아까 그 술집에서 당신의 눈이 빛나는 걸 봤어요. 그런 건 누구나 보는 거잖아요."

'벌써 자기 기도를 잊었군.' 마법사는 생각했다. 그녀는 또다시, 자신이 다른 사람들과 다르다고 믿고 있었다. '신께서 그토록 너그럽게 드러내 보여주신 것을 또다시 알아보지 못하는 거야.'

"눈이라니, 이해가 안 돼요." 그녀가 고집스레 우겼다. "달 전승에서는 어떻게 자기 소울메이트를 알아보는지 알고 싶어요."

마법사가 브리다 쪽을 돌아보았다. 그의 두 눈은 차갑고 무표정했다.

"저 때문에 슬프시군요. 알아요." 그녀가 계속 말을 이었다. "제가 여전히 단순한 것들을 통해 배우지 못하기 때문에 슬프신 거죠. 그런데 당신이 이해 못 하시는 게 있어요. 사람들은 자기 소울메이트를 찾아야 하는 성스러운 임무를 완수하고 있다는 걸 알지 못한 채 사랑 때문에 고통받고, 그것을 갈구하고, 또 그것 때문에 목숨을 끊기도

한다는 걸 이해하지 못하세요. 당신은 현자이고, 평범한 사람들이 어떤지 이젠 기억하지 못하시는 거예요. 그래서 제 안에 엄청난 환멸이 자리하고 있고, 이제 더는 단순함을 통해 무언가를 배우지 못한다는 걸 잊으신 거예요."

마법사는 계속 무표정했다.

"점." 그가 말했다. "자기 소울메이트의 왼쪽 어깨 위에 점 하나가 반짝이네. 달 전승에서는 그렇게 자신의 소울메이트를 알아보지."

"이제 가야 할 시간이 된 거 같아요." 그녀는 마법사가 붙잡아주길 바라며 말했다. 그곳에 있는 게 좋았다. 그는 그녀의 물음에 답을 주었다.

그러나 마법사는 일어나 문 앞까지 그녀를 배웅해주었다.

"저는 당신께서 알고 있는 모든 걸 배울 거예요." 그녀가 말했다. "그 점을 보는 방법도 알아내겠어요."

마법사는 브리다가 보이지 않을 때까지 바라보며 기다렸다. 삼십 분 후에 더블린 행 버스가 있으니 걱정할 필요는 없었다. 그러고 나서 그는 정원으로 걸음을 옮겨 매일 밤 하는 의식을 행했다. 익숙한 동작들이었지만, 가끔은 정신을 집중하는 데 많은 노력이 필요할 때가 있었다. 오늘은 특히 머릿속이 어지러웠다.

의식을 마친 후 그는 문턱에 앉아 한참 동안 하늘을 우러러보았다. 그는 브리다를 생각했다. 왼쪽 어깨에 환히 빛나는 점을 지닌 그녀가 버스를 타고 가는 모습이 보였다. 그의 소울메이트이기 때문에 오직 그의 눈에만 보이는 점이었다. 그는 태어난 순간부터 시작된 탐색의 결론에 이르기 위해 그녀가 얼마나 조바심을 내고 있을지 생각해보았다. 그리고 그의 집으로 온 이후 그녀가 얼마나 차갑고 멀게 느껴졌는지 생각했다. 그건 좋은 징조였다. 그녀 역시 자신의 감정을 혼란스러워한다는 의미였으니까. 그녀는 자신이 이해할 수 없는 감정 때문에 방어적으로 군 것이었다.

그는 또한 그녀가 사랑에 빠져 있다는 것에 약간 두려움을 느꼈다.

"브리다, 자기 소울메이트를 찾지 못하는 사람은 없어." 마법사가 정원의 초목을 향해 큰 소리로 말했다. 그러나 마음 깊은 곳에서는, 그 자신이 아주 오래전부터 전승을 수련해왔음에도 불구하고, 지금 이 순간 더욱 신념을 강화해야 한다는 것을 느꼈다. 기실 그는 자기 자신을 향해 말하고 있는 것이었다.

'살아가다보면 어느 한순간, 우리 모두는 자신의 소울메이트와 만나고 그를 알아보지. 만약 내가 마법사가 아니라면, 그리고 왼쪽 어깨 위의 점을 볼 수 없다면, 너를 받아들이는 데 좀더 시간이 걸렸을 거야. 하지만 너는 나를 위해 분투할 거고, 그리고 나는 언젠가는 너의 눈 속에서 특별한 빛을 느끼게 되겠지.

하지만 나는 마법사야. 그리고 지금은 너를 위해 분투해야 할 사람은 나야. 내 모든 지식이 지혜로 바뀔 수 있도록.'

그는 한참 동안 밤의 어둠을 응시하며 버스를 타고 가는 브리다를 생각했다. 평상시보다 제법 쌀쌀했다. 이제 곧 이 여름도 끝나리라.

"스스로 깨닫게 되겠지만, 사랑에 감수해야 할 위험이란 없어. 사람들은 수천 년 전부터 서로를 찾아 만나왔어."

그런데 불현듯 그게 자신의 착각일 수도 있다는 생각이 들었다. 위험은 언제나 존재했다. 단 하나의 위험이.

환생한 삶에서 둘 이상의 소울메이트를 만날 수도 있다는 위험.

그리고 그 위험 역시 수천 년 전부터 존재해온 것이었다.

겨울, 그리고 봄

그후 두 달 동안, 위카는 마법의 신비에 입문하는 과정을 브리다에게 가르쳤다. 그녀에 따르면 여자들은 남자들보다 훨씬 빨리 깨쳤다. 여자들은 탄생과 삶, 죽음 같은 자연의 완벽한 주기를 매달 몸소 체험하기 때문이었다. 그녀는 그것을 '달의 주기'라고 말했다.

브리다는 노트 한 권을 사서, 위카와의 첫 만남부터 겪은 모든 심리적 경험을 기록해야 했다. 그리고 겉표지에 꼭짓점이 다섯 개인 오망성(五望星)을 그려넣은 그 노트에 반드시 매일매일의 일을 달 전승에 따라 적어야 했다. 위카는 모든 마녀들에게 그런 노트가 한 권씩 있는데, 지난 사백 년 동안 마녀사냥에 희생된 그들의 자매들을 기리는 뜻에서 '그림자들의 책'이라고 부른다고 했다.

"이 모든 걸 왜 해야 하는 건가요?"

"우리는 '재능'을 일깨워야 해. 재능 없이는, 우리가 배우는 모든 것이 '사소한 신비들'에 불과하지. 재능은 우리가 세상에 이바지하는 우리만의 방법이야."

브리다는 집 안의 한갓진 구석에 작은 기도 장소를 마련하고 거기에 밤낮으로 초를 밝혀두어야 했다. 달 전승에 따르면 초는 4대 요소를 상징했다. 초의 심지는 흙, 파라핀은 물, 그리고 타는 불과, 연소할 수 있도록 해주는 공기를 말한다. 또한 초는 그녀에게 완수해야 할 임무가 있고, 그녀가 그것에 연결되어 있다는 사실을 상기시켜주는 중요한 역할을 했다. 가시적으로 드러나 보이는 요소는 오로지 초뿐이어야 했다. 나머지는 책장이나 서랍 안에 감춰놓아야 했다. 중세시대부터 달 전승은 마녀들로 하여금 극비리에 활동하도록 지시했다. 여러 예언들에서는 천년 후에 암흑이 되돌아오리라 경고하고 있었다.

브리다는 집으로 돌아와 환하게 타고 있는 초의 불꽃을 볼 때마다 기이한, 거의 성스럽기까지 한 책임을 느꼈다.

위카는 늘 세상의 소리에 귀를 기울이라고 주문했다. '당신이 어디에 있든 세상의 소리를 들을 수 있어.' 마녀는 말했다. '그것은 절대로 멈추지 않는 소리지. 산에서도, 도시에서도, 하늘에서도, 바다 깊은 곳에서도 들을 수 있어. 떨림과도 같은 그 소리는, 스스로 변화하여 빛을 향해 나아가는 '세상의 영혼'이야. 마녀라면 그것에 주의를 기울여야 해. 이 긴 여행에서 아주 중요한 부분을 이루고 있거든.'

또한 위카는 고대인들이 상징을 통해 우리가 살아가는 세상을 향해 말한다고 설명했다. 아무도 듣고 있지 않다 해도, 그 언어가 거의 모든 사람들에게 잊혔다 해도, 고대인들은 끊임없이 말하고 있다고.

"그들도 우리와 같은 존재인가요?" 어느 날 브리다가 물었다.

"우리가 바로 그들이야. 그래서 우리는 이전 생들에서 깨달은 모든 것을, 위대한 현자들이 우주에 기록해놓은 모든 것을 불현듯 깨닫게 되지. 예수께서는 말씀하셨어. '하느님 나라는 이렇게 비유할 수 있다. 어떤 사람이 땅에 씨앗을 뿌려놓았다. 하루하루 자고 일어나고 하는 사이에 씨앗은 싹이 트고 자라나지만, 그 사람은 그것이 어떻게 자라나는지 모른다.'

인류는 언제나 이 마르지 않는 샘에서 물을 길어 마시고 있어. 모두가 인류가 멸망한다고 말해도, 결국 인류는 언제나 살아남을 방도를 찾아내지. 원숭이들이 인간들을 나무에서 몰아냈을 때도, 온 땅이 물에 잠겼을 때도 인류는 살아남았어. 그리고 모두가 최후의 재앙을 대비할 때도 인류는 살아남을 거야.

우리는 우주에 대한 책임이 있어. 바로 우리가 우주이기 때문이야."

위카는 알면 알수록 아름다운 여인이었다. 브리다는 그렇게 생각했다.

위카는 그녀에게 달 전승에 관한 가르침을 계속했다. 그녀는 브리다에게 칼날 모양이 불꽃처럼 굽이치는 양날 단검을 마련해오라고 시켰다. 브리다는 여러 가게들을 돌아다녔지만 비슷한 것조차 발견할 수 없었다. 결국 로렌스가 대학에서 근무하는 화학제철 전문가에게 부탁해 문제를 해결해주었다. 로렌스는 직접 깎은 나무 손잡이를 끼워 그녀에게 단검을 선물해주었다. 브리다의 탐색을 존중하는 그 나름의 방법이었다.

위카는 일련의 복잡한 의식을 통해 단검을 정화했다. 그녀는 주문을 외우고, 숯으로 칼날 위에 그림들을 그리고, 나무 숟가락으로 검을 몇 번 두드렸다. 단검은 그 칼날에 온몸의 응축된 에너지를 모아, 연장된 팔처럼 사용될 것이었다. 요정들이 지팡이를 사용하고 마법사들이 검을 필요로 하는 것도 이와 같은 맥락이었다.

브리다가 숯과 나무 숟가락을 보고 놀라자, 위카는 마녀사냥이 횡

행하던 시절, 마녀들은 일상생활용품처럼 보이는 물건들을 재료로 사용할 수밖에 없었다고 설명해주었다. 시간이 흐르면서 전통에서는 이제 칼날과 숯, 나무 숟가락만 남게 되었다. 옛사람들이 사용하던 진짜 물건들은 아예 쓰지 않게 되었다.

브리다는 향을 사르고, 마법의 원 안에서 단검을 사용하는 방법을 배웠다. 달이 차고 기움에 따라 치러야 하는 의식도 있었다. 잔에 물을 가득 채우고, 수면 위로 달이 비치도록 창가에 가져다놓는다. 그러고 나서, 물 위로 얼굴을 내밀어, 달의 형상이 얼굴 가운데에 자리잡도록 한다. 그녀는 정신을 완전히 집중하고 단검으로 물을 갈라 수면 위의 달을 여러 조각으로 나누었다.

그러고 나서 그 물을 즉시 마셔야 했고, 그러면 몸 안에서 달의 정기가 점점 커지게 된다.

"말도 안 돼요." 브리다가 이렇게 말한 적이 있었다. 위카는 그녀의 말을 대수롭지 않게 넘겼다. 그녀 역시 옛날에 그렇게 생각했던 적이 있었다. 하지만 위카는, 알아차리지 못하는 사이에 자라는 씨앗에 관한 예수의 이야기를 상기시켰다.

"말이 되건 안 되건, 그런 건 중요하지 않아." 그리고 그녀는 덧붙였다. "어두운 밤을 생각해. 더욱 많이 생각할수록, 옛사람들과 더 많은 대화를 나누게 될 거야. 처음에는 당신이 이해할 수 없는 방법으로 말을 걸어올 거야. 오로지 당신의 영혼만이 그걸 들을 수 있지. 그러다 언젠가는 목소리들이 깨어날 거야."

브리다로서는 목소리들을 깨우는 건 아무래도 좋았다. 그녀는 자신의 소울메이트를 만나고 싶었다. 하지만 그런 얘기는 위카에게 하지 않았다.

이제 과거로 거슬러가는 여행은 금지되었다. 위카에 의하면 그것은 아주 드문 경우에만 필요했다.

"미래를 보기 위해 카드를 사용해서도 안 돼. 카드는 말(言)이 없는 성장, 예를 들자면 자각하지 못하는 사이에 일어나는 성장과 같은 것을 위해 사용되는 거야."

브리다는 일주일에 세 번 타로카드를 테이블 위에 펼쳐놓고 바라보라는 과제를 부여받았다. 환영은 가끔씩만 나타났고, 대개는 이해할 수 없는 장면들이었다. 브리다가 그런 것에 대해 불평을 늘어놓으면 위카는 그 장면들에는 그녀가 아직 이해할 수 없는 심오한 의미가 깃들어 있다고 일축했다.

"왜 카드로 미래를 읽으면 안 되는 거죠?"

"오직 현재만이 우리 삶에 힘을 미칠 수 있기 때문이지." 위카가 대답했다. "카드를 보며 미래를 읽는 순간, 당신은 미래를 현재로 끌어들이는 거야. 그러면 엄청난 피해를 야기하게 되고, 현재가 미래를 엉망진창으로 만들지도 몰라."

위카는 일주일에 한 번씩 브리다를 숲으로 데리고 가서 허브의 비밀을 가르쳐주었다. 위카에게 온 세상 만물 하나하나는 신의 표지를 지녔는데, 특히 식물들이 그랬다. 심장 모양과 비슷한 모양의 잎들은 심장 관련 질병에 특효를 지니고 있었고, 눈(目)처럼 생긴 꽃들은 눈병을 치료해주었다. 브리다는 수많은 허브들이 정말로 인간의 내장기관과 비슷하게 생겼음을 깨닫기 시작했다. 로렌스가 대학 도서관에서 빌려온 민간요법에 관한 책에도 시골 사람들과 마녀들의 처방이 효과가 있음을 시사하는 연구가 실려 있었다.

"신께서는 숲속에 당신의 약국을 차려놓으셨지." 두 사람이 나무 아래에서 쉬는 동안 위카가 말했다. "누구나 건강을 누릴 수 있도록 말이야."

마스터에게는 다른 제자들도 있었지만 그들과 마주치기는 좀처럼 쉽지 않았다. 개는 늘 정확한 시간에 짖었다. 그러나 계단에서 중년 부인 하나와 브리다 또래의 젊은 여자 한 명, 정장 차림의 남자 한 명을 스쳐 지난 적은 있었다. 건물에 울려퍼지는 발소리와 오래된 마룻바닥이 삐걱거리는 소리에 귀를 기울이면 그들의 목적지가 어디인지 알 수 있었다. 바로 위카의 아파트였다.

어느 날 브리다는 용기를 내어 다른 제자들에 대해 물었다.

"마법의 힘은 응집된 힘을 기반으로 하지." 위카가 대답했다. "다양한 재능이 모이면 우리의 에너지가 끊임없이 움직일 수 있는 원동력이 될 수 있어. 그리고 각각의 재능들은 서로 다른 것들을 필요로 하지."

위카는 아홉 가지의 재능이 존재하는데, 태양 전승과 달 전승 모두 그 재능들이 몇백 년에 걸쳐 전해내려올 수 있도록 각별히 신경을 써왔다고 설명했다.

"그 아홉 가지가 무엇인데요?"

그러자 위카는 브리다의 게으름을 질책하며 왜 묻기만 하느냐고 야단을 치고, 진정한 마녀라면 세상의 모든 영적 탐색에 관심을 가져야 한다고 했다. 그리고 성서야말로 '진정한 비의적 지혜가 담겨 있으니' 다시 탐독해야 하고, 그중에서도 사도 바오로의 「고린토 전서」를 찾아 읽어보라고 했다. 브리다는 「고린토 전서」를 읽고 아홉 가지 재능이 무엇인지 찾아냈다. 지혜의 말, 지식의 말, 믿음, 치유를 행하는 능력, 기적을 행하는 능력, 예언을 하는 능력, 영을 분별하는 능력, 각종 방언을 말하는 능력, 그리고 방언들을 해석하는 능력이 그것이었다.

그제야 브리다는 자신이 구하고 있는 재능이 무엇인지 깨달을 수 있었다. 그것은 바로 영을 분별하는 능력이었다.

위카는 브리다에게 춤을 가르쳤다. 그녀는 세상의 소리에, 그 끊이지 않는 떨림에 맞춰 몸을 움직이도록 두어야 한다고 했다. 특별한 테크닉은 전혀 없었다. 그냥 머릿속에 떠오르는 대로 움직이면 그것으로 충분했다. 그런데도 브리다는 아무런 논리 없이 몸을 움직이고 춤을 추는 데 익숙해지기까지 시간이 꽤 걸렸다.

"숲속의 마법사는 네게 어두운 밤에 대해서 가르쳤지. 사실 한 가지나 다름없는 두 전승 속에서, 어두운 밤은 성장할 수 있는 유일한 방법이야. 마법의 길에 처음 들어서면서 제일 먼저 하게 되는 일은 더 큰 힘에 자신을 맡기는 것이지. 이해할 수 없는 것들과 마주하게 되거든.

우리에게 익숙한 논리로 이해할 수 있는 것들은 아무것도 없을 거야. 우리는 오직 마음으로 사물을 이해할 것이고, 그러면 어느 정도 두려움을 느끼게 되지. 마법의 길을 걷는 여행은 아주 오랜 어두운 밤과 같아. 모든 탐색은 믿음을 바탕으로 하는 행위야.

하지만 신께서는, 어두운 밤보다도 훨씬 이해하기 어려운 그분께서는, 믿음에서 비롯된 우리의 행동들을 알아보시지. 그래서 우리의 손을 잡고 '신비' 속을 통과하도록 우리를 안내하시는 거야."

마법사에 대해 이야기하는 위카의 목소리에는 아무런 분노도, 슬픔도 실려 있지 않았다. 브리다의 착각이었다. 위카는 그와 절대로 연인 관계가 아니었다. 그녀의 눈에 그렇게 쓰여 있었다. 어쩌면 그날 짜증을 낸 건 그들이 각기 다른 전승을 걷기 때문인지도 모른다. 마녀와 마법사들은 자부심이 강했고, 서로 자기네 길이 정도(正道)임을 증명해 보이고 싶어하는 것인지도.

불현듯 브리다는 자신이 무슨 생각을 하는지 깨달았다.

위카는 마법사를 사랑했던 게 아니었다. 그녀의 눈을 보면 알 수 있었다.

브리다는 그것에 관한 영화를 보고 책을 읽은 적이 있었다. 사랑에 빠진 사람의 눈은 세상 누구든 알아볼 수 있다.

'왜 나는 꼭 복잡하게 생각하고 난 뒤에야 단순한 것들을 이해하게 되는 걸까.' 브리다는 속으로 중얼거렸다. '어쩌면 나는 언젠가 태양 전승의 길을 따르게 될지도 모르겠어.'

어느덧 가을이 깊어가고 추위가 점점 견디기 힘들어질 무렵, 위카에게서 전화가 걸려왔다.

"숲에서 만나기로 하지. 오늘부터 이틀 후, 초승달이 뜨는 날 밤해지기 직전에." 그녀는 그렇게만 말했다.

브리다는 이틀 동안 그 약속만 생각했다. 그들은 평상시에 행하던 의식들을 행하고, 세상의 소리에 맞춰 춤췄다. '음악이 있으면 더 좋을 텐데.' 춤을 출 때마다 브리다는 생각했다. 하지만 이제는 그 낯선 떨림에 맞춰 몸을 움직이는 데도 많이 익숙해졌고, 고요한 밤이나 성당 같은 조용한 장소에서는 소리가 더 잘 들렸다. 위카의 말에 따르면, 세상의 음악에 맞춰 춤을 추면 영혼이 육체 안에서 더 편안함을 느끼면서 긴장이 풀린다고 했다. 이제 브리다는 거리를 걷는 사람들을 눈여겨보기 시작했다. 그들은 양손을 어디 둬야 할지 모른 채, 엉덩이와 어깨를 고정시키고 걸었다. 사람들에게 설명해주고 싶은 마음이 굴뚝같았다. 세상이 음악을 연주하고 있다고, 하루에 몇 분만이라도 마음 가는 대로 몸을 움직이면서 그 음악에 맞춰 춤을 춰보라고, 그러면 훨씬 기분이 좋아질 거라고.

하지만 그 춤은 달의 전승에 속해 있었고, 마녀들만 알고 있는 것이었다. 분명 태양 전승에도 그 비슷한 게 있을 것이다. 비록 그 방법을 통해 배우고 싶어하는 사람은 아무도 없을지라도.

"우리는 이제 세상의 비밀들과 함께 살아가는 능력을 잃어버렸어." 그녀는 로렌스에게 말했다. "하지만 여전히 그 비밀들은 우리 눈앞에 있는걸. 나는 그 비밀들을 들여다보기 위해 마녀가 되고 싶은 거야."

약속한 날이 되어 브리다는 숲으로 향했다. 그녀는 자연의 정령들의 신비로운 존재를 느끼며 나무들 사이를 걸었다. 그 숲은 천오백 년 전, 성 패트릭이 아일랜드에서 뱀들을 몰아내어 드루이드 신앙을 종식시키기 전까지는 드루이드교 사제들의 성소였다. 그래도 그 장소에 대한 외경심은 대를 이어 전해내려왔고, 오늘날까지도 근처 마을에 사는 이들은 그 숲을 경외했다.

브리다는 공터에서 예의 그 망토를 입은 위카와 만났다. 그녀 말고 네 사람이 더 있었다. 모두 평범한 옷을 입고 있었고, 여자들이었다. 전에 재가 있던 곳에서는 모닥불이 타고 있었다. 브리다는 불을 바라보며 설명할 수 없는 두려움을 느꼈다. 그녀 안에 있는 로니의 일부 때문인지, 아니면 다른 생에서도 모닥불에 관련된 경험이 있었던 때문인지는 알 수 없었다.

다른 여자들이 몇 명 더 왔다. 그녀 또래도 있었고, 위카보다 나이가 많은 여자들도 있었다. 이제 그들은 모두 아홉 명이었다.

"오늘은 남자들을 초대하지 않았습니다. 우리는 '달의 왕국'을 기다릴 것입니다."

달의 왕국은 밤이었다.

그들은 모닥불 주위에 둘러서서 진부한 화제로 수다를 떨었다. 브리다는 무대만 다를 뿐, 동네 여인들이 차를 마시며 수다를 떠는 모임에 초대받은 기분이었다.

하지만 하늘이 별들로 뒤덮이자 분위기가 완전히 바뀌었다. 위카가 따로 명령을 내릴 필요조차 없었다. 대화는 저절로 잦아들었다. 브리다는 사람들이 그제야 모닥불과 숲의 존재를 알아차린 것인가 싶어 의아했다.

한동안 침묵이 흐른 후 위카가 입을 열었다.

"일 년에 한 번, 오늘 밤, 이 세상의 마녀들은 기도를 하고 선조들을 기리기 위해 모입니다. 전승에 따라 일 년의 열번째 달, 우리는 박해당한 자매들의 생명이자 죽음이었던 모닥불 주위에 모여야 합니다."

위카가 망토에서 나무 숟가락을 꺼냈다.

"여기 상징이 있습니다." 그녀는 나무 숟가락을 모두에게 보였다.

여자들은 손을 잡고 서 있었다. 이제 그들은 양손을 위로 치켜든 채 위카의 기도에 귀를 기울였다.

"오늘 밤, 동정녀 마리아와 그분의 아들 예수 그리스도의 축복이 저희 머리 위로 내리기를 바라나이다. 저희 몸에는 조상들의 한 부분이 잠들어 있나이다. 동정녀 마리아여, 저희를 축복하소서.

저희가 여자임을 축복하시고, 오늘날 남자들이 저희 여자들을 점점 더 사랑하고 이해하는 세상에 살고 있음을 축복하소서. 그러나 저희 육신 안에는 전생의 흔적이 아직 남아 있으니, 그 흔적은 여전히 고통스럽나이다.

동정녀 마리아여, 그 흔적에서 저희를 구원하시고, 저희 죄책감을 영원히 지우소서. 저희는 아이들을 먹이기 위해 집을 나설 때마다 그들을 떼어놓아야 한다는 것에 죄책감을 느끼나이다. 저희는 집에 머물러 있으면서 세상의 자유를 만끽하지 못하는 것에 죄책감을 느끼나이다. 의사 결정과 권력에서 멀리 떨어져 있기에, 저희는 매사에 죄책감을 느끼나이다.

동정녀 마리아여, 남자들이 도망치고 믿음을 부정하는 순간에도 예수 곁에 남아 있던 이들이 저희 여자들이었음을 항상 저희가 기억하게 하소서. 예수께서 십자가를 지고 가시는 동안 눈물을 흘렸던 이들이 저희 여자들이었음을, 그분께서 돌아가실 때 그분 발치를 지키던 이들이 저희 여자들이었음을, 빈 무덤을 찾아간 이들이 저희 여자들이었음을 항상 저희가 기억하게 하소서. 동정녀 마리아여, 저희가 죄책감을 가질 필요가 없음을 기억하게 하소서.

동정녀 마리아여, 저희가 사랑이라는 종교를 전하려 했다는 이유로 화형당하고 박해당했음을 언제나 저희가 기억하게 하소서. 남자들이 죄 많은 권력을 빌려 시간을 멈추려 했을 때, 저희 여자들은 함께 모여 금지된 축제를 열고 세상에 아직 남아 있는 아름다운 것들을 찬미했나이다. 그리고 그로 인해 저희는 형을 받고 광장에서 불태워

졌나이다.

동정녀 마리아여, 남자들이 토지 분쟁으로 광장에서 심판을 받는 동안 저희 여자들은 간통죄로 광장에 나와 심판받았음을 언제나 기억하게 하소서.

동정녀 마리아여, 주님의 말씀을 완성하기 위해 잔다르크처럼 남자로 가장해야 했던 저희 조상이 있었음을, 그럼에도 그들이 불 위에서 죽임을 당했음을 저희가 항상 기억하게 하소서."

위카는 두 손으로 나무 숟가락을 꼭 쥐고 두 팔을 앞으로 뻗었다.

"여기, 저희 조상들의 수난의 상징이 있나이다. 그들의 몸을 집어삼킨 불꽃이 언제나 저희 영혼을 밝게 밝히기를 기원하나이다. 그들이 우리 안에 있으므로, 우리가 바로 그들이므로."

그리고 그녀는 모닥불을 향해 나무 숟가락을 던졌다.

브리다는 위카가 가르쳐준 의식들을 계속 행했다. 늘 초를 밝히고, 세상의 소리에 맞춰 춤을 추었다. 그녀는 위카와의 만남을 『그림자들의 책』에 기록했고, 일주일에 두 번 신성한 숲으로 갔다. 그리고 놀랍게도 이제는 자신이 약초와 식물들에 대해 이해하기 시작했음을 알게 되었다.

하지만 위카가 깨우고 싶어하는 목소리들은 나타나지 않았다.

그리고 그 누구의 어깨 위에서도 환한 점을 발견하지 못했다.

'아직 내 소울메이트를 만나지 못한 것뿐이야.' 그녀는 약간의 두려움을 느끼며 생각했다. 그것이 달 전승을 아는 사람의 운명이었다. 인생의 남자에 관해서는 절대 실수하지 않는 것. 그것은 진짜 마녀가 된 순간부터는 다시는 다른 사람들처럼 사랑에 대해 환상을 품을 수 없으리라는 의미이기도 했다. 그리고 그것은 고통을 덜 겪거나, 혹은 아예 겪지 않으리라는 의미이기도 했다. 진정한 마녀는 세상 만물을 더욱 강렬하게 사랑하기 때문이었다. 그렇다 해도, 자신의 소울메이트를 찾는 것은 삶의 신성한 의무였다. 태양과 달 양쪽의 전승에 의하면, 설령 언젠가 헤어질 수밖에 없다 해도, 자신의 소울메이트에 대한 사랑은 언제나 영예와 깨달음, 정화된 그리움이라는 왕관을 쓰고 있다고 했다.

이는 또한, 어깨 위의 그 환한 점을 본 순간부터 사랑의 어두운 밤에 매력을 느끼지 못하게 되리라는 의미이기도 했다. 브리다는 사랑으로 괴로워하던 수많은 나날을, 오지 않는 전화를 기다리며 하얗게 지새우던 밤들을, 그다음 주면 의미를 잃어버릴 로맨틱한 주말들을, 안절부절못하며 사방을 두리번거리던 파티들을, 단지 능력을 증명해 보이기 위해 누군가를 정복하는 희열을, 친구의 남자친구만이 나를 행복하게 해줄 유일한 남자임을 확신했을 때의 슬픔과 외로움을 떠올렸다. 이 모든 것들이 그녀가 사는 세상을 이루고 있었고, 그녀가 아는 다른 모든 이들의 세상도 그랬다. 바로 그것이 사랑이었고, 역사가 시작된 이래로 사람들이 자기 소울메이트를 찾아온 방식이었다. 특별한 빛과 욕망을 발견하기 위해 타인의 눈을 들여다보는 것. 브리다는 한 번도 이런 것들에 가치를 둔 적이 없었다. 오히려 누군가 때문에 아파하는 것, 자기 삶을 나눌 이를 찾지 못할까 죽을 만큼 두려워하는 것은 말도 안 되는 일이라고 생각했다. 이제 그 두려움에서 해방될 기회와 마주한 지금, 그녀는 자신이 무엇을 원하는지 확신이 서지 않았다.

'내가 정말로 환하게 빛나는 점을 보고 싶은 걸까?'

그녀는 마법사를 떠올렸다. 그리고 그의 말이 옳다고 생각하기 시작했다. 태양 전승이야말로 사랑을 올바로 다룰 유일한 방법이었다. 하지만 이제 와서 생각을 바꿀 수는 없었다. 따라야 할 길을 알게 되었으니, 그 길을 끝까지 가야 했다. 그녀는 알고 있었다. 지금 포기하면, 살면서 선택을 하는 것이 점점 더 힘들어지리라는 것을.

어느 날 오후, 옛날 마녀들이 비를 부르기 위해 치르던 의식들에 관한 긴 수업이 끝난 후—절대로 써먹을 일이 없을 것 같았지만 브리다는 그 내용을 『그림자들의 책』에 기록해두어야 했다—위카는 그녀에게 가지고 있는 옷을 모두 입어보느냐고 물었다.

"당연히 아니죠." 브리다의 대답이었다.

"그렇다면, 이번 주부터 당신 옷장 안의 옷을 모두 입어봐."

브리다는 자기가 뭘 잘못 알아들었나 하고 생각했다.

"우리의 에너지를 담고 있는 것은 끊임없는 움직임 속에 있어야 해." 위카가 말했다. "당신이 산 옷들은 당신의 일부이고 특별한 순간을 담고 있어. 당신 자신에게 선사할 선물을 사기 위해 외출하면서 행복했던 순간. 누군가에게서 상처를 받아 기분전환을 하고 싶었던 순간. 삶을 좀 바꿔봐야겠다고 생각하던 순간.

옷은 항상 감정을 물질로 변화시키지. 옷은 눈에 보이는 세계와 보이지 않는 세계를 잇는 다리 중 하나야. 심지어는 다른 사람들을 위해 만들었는데 결국 당신에게 와서 해를 입히는 옷들도 있지."

이제 위카가 무슨 말을 하는지 이해할 수 있었다. 입을 수 없게 된 옷들이 있었다. 그 옷들을 입을 때마다 결국에는 뭔가 나쁜 일들이 생겼던 것이다.

"당신을 위해 만들어지지 않은 옷들은 갖다버려. 나머지 옷들은 돌아가면서 입도록 하고. 지속적으로 토양을 갈아엎고, 물결에 거품이 일게 하고, 감정을 움직임 속에 두는 것은 매우 중요한 일이야. 온 우주는 움직이고 있어. 그러니 우리도 가만히 정체되어 있으면 안 되는 거야."

브리다는 집으로 돌아와 옷장 안에서 모든 옷을 꺼내 침대 위에 늘어놓았다. 그리고 한참 동안 한 벌, 한 벌 살펴보았다. 있었는지조차 기억나지 않는 옷들이 한가득이었다. 행복했던 순간들을 떠올리게 하지만 이제는 유행이 지나버린 옷들도 있었다. 그런데도 브리다는 그것들을 모두 보관하고 있었다. 그 옷들에 마법과 같은 무언가가 깃들어 있는 것 같아서였다. 그것들을 버리면 그 옷들을 입으면서 경험했던 좋은 일들까지도 함께 버리게 될 것 같았다.

그녀는 '좀더 큰 떨림'을 가지고 있는 듯한 옷들을 바라보았다. 언젠가 그 떨림이 바뀌어 그 옷들을 입을 수 있을 거라는 희망은 늘 품고 있었다. 하지만 그 옷들을 '시험 삼아' 입고 나갈 때마다 결국에는 문제가 생기고 말았다.

브리다는 옷과 자신의 관계가 보기보다 훨씬 복잡하다는 것을 깨달았다. 그런데도 위카가 그녀의 삶에서 가장 은밀하고 개인적인 부분, 즉 그녀의 옷 입는 방법까지 참견하려는 것 같아 받아들이기 힘들었다. 몇몇 옷은 특별한 경우를 위해 갖고 있어야 할 옷들이었고, 언제 그 옷을 입어야 할지 결정할 수 있는 것은 오직 그녀뿐이었다. 출근할 때, 아니 심지어 주말에 외출할 때조차 어울리지 않는 옷들도 있었다. 왜 위카가 이런 일까지 참견해야 하는 거지? 브리다는 위카의 지시에 의문을 표한 적이 없었다. 그녀는 위카가 시키는 대로 춤을 추고, 초를 밝히고, 물에 단도를 찔러넣고, 절대 행하지 않을 것들을 배웠다. 그것들이 전승을 이루는 것이기에 그녀는 그 모든 것을 받아들였다. 비록 그녀는 그 전승을 이해하지 못했지만, 그것이 스스로 알지 못하는 그녀 안의 한 부분과 대화를 나눌지도 모를 일이었다. 그런데 그녀의 옷들에 대해 참견함으로써, 위카는 그녀가 세상에 존재하는 방식에 개입해버린 것이었다.

위카가 지켜야 할 자기 힘의 한계를 넘어서버린 것은 아닐까. 간섭해서는 안 될 영역을 침범하려 하는 건 아닐까.

"밖으로 드러나 보이는 것을 바꾼다는 건, 내면에 존재하는 것을 바꾸는 것보다 어려운 일이지."

누군가 말했다. 브리다는 깜짝 놀라 본능적으로 주위를 둘러보았다. 하지만 아무도 없는 게 확실했다.

목소리였다.

위카가 깨우길 바라던 목소리.

브리다는 흥분과 두려움을 억눌렀다. 그리고 뭔가 더 들리기를 기다리며 침묵을 지켰다. 하지만 거리의 소음과 멀리서 들려오는 텔레비전 소리뿐이었다. 세상 어디에서나 들리는 소음. 그녀는 방금 전과 똑같은 자세를 유지하려 하면서 아까 생각하던 것을 그대로 떠올리려고 노력했다. 모든 일이 너무도 순식간에 벌어져 두려움을 느낄 겨를도, 놀라거나 자기 자신을 자랑스러워할 겨를도 없었다.

하지만 아까, 목소리는 말을 했다. 세상 모든 사람들이 그것이 상상의 산물임을 증명해 보인다 해도, 갑자기 마녀사냥이 부활해 법정에 서고 화형대에서 불타 죽는다 해도, 그녀는 완벽하고 절대적으로 확신할 수 있었다. 자신의 목소리가 아닌 목소리를 들었노라고.

"밖으로 드러나 보이는 것을 바꾼다는 건, 내면에 존재하는 것을 바꾸는 것보다 어려운 일이지." 이번 생에서 들은 첫 마디였으니, 목소리는 좀더 거창한 것을 말할 수도 있었으리라. 그럼에도 브리다는 갑자기 찾아온 엄청난 기쁨에 사로잡혔다. 당장이라도 로렌스에게 전화를 하고 싶었고, 마법사에게 달려가고 싶었고, 위카에게 자신의 재능이 나타났다고, 이제는 자기도 달 전승의 일원이라고 자랑하고 싶었다. 그녀는 담배 몇 개비를 피우며 집 안을 서성였고, 삼십 분이 지나서야 겨우 마음이 진정되어 옷들이 널린 침대 위에 다시 앉을 수 있었다.

목소리가 옳았다. 브리다는 자기 영혼을 이상한 여자에게 내맡긴 것이었다. 그리고, 좀 괴상한 말일지도 모르지만, 옷 입는 법을 교정당하는 것은 자신의 영혼을 내맡기는 것보다 훨씬 어려운 일이었다.

그제야 브리다는 겉보기에 별 의미 없어 보이는 일련의 수련들이 자신의 삶에 얼마나 많은 영향을 미치고 있는지 이해할 수 있었다. 그제야 그녀는 겉으로 드러나 보이는 것을 바꿈으로써 자신의 내면이 얼마나 변화했는지를 깨달을 수 있었다.

위카는 브리다가 들었다는 목소리에 대해 속속들이 알고 싶어했고, 그녀가 『그림자들의 책』에 목소리를 듣던 날의 일을 세세하게 기록해놓은 것에 기뻐했다.

"그런데, 그건 누구의 목소리인가요?" 브리다가 물었다.

그러나 위카에게는 이 젊은 여자의 끝도 없는 질문들에 일일이 대답하는 것보다 훨씬 중요한 일들이 있었다.

"지금까지 나는 당신의 영혼이 거쳐온 여러 생의 길을 어떻게 되짚어가는지 가르쳐주었어. 그리고 당신이 우리 선조들의 상징과 의식들을 통해 당신 영혼과 직접 대화를 나눔으로써 이러한 지식을 일깨우도록 했고. 당신은 다소 못마땅하게 받아들였지만, 당신의 영혼은 제 임무를 되찾았기에 만족스러워했지. 당신이 짜증내며 수련을 하고, 지루하게 춤을 추고, 졸음에 겨워하며 의식을 치르는 동안, 당신 안에 감춰진 비의적인 면은 다시 시간의 지혜를 들이켜면서 이전에 배웠던 것들을 기억해냈어. 그렇게 당신 안에 뿌려진 씨앗은 당신도 모르는 사이에 싹트고 또 자라고 있었던 거야. 하지만 이제 새로운 것들을 배워야 할 때가 되었어. 그것을 입문식이라 부르는데, 이번 생에서 반드시 배워야 할 것들에 진정으로 입문하게 되는 지점이기 때문이지. 이제 당신이 준비되어 있다고 목소리가 알려준 거야.

마녀들의 전승에서 입문식은 주야평분(晝夜平分)인 춘분과 추분에 치르지. 일 년 중 낮과 밤의 길이가 완벽하게 같아지는 날이야. 이번 주야평분은 3월 21일인 춘분이야. 나도 춘분 때 입문식을 치렀으니 당신도 이날 입문하면 좋겠어. 보이는 세계와 보이지 않는 세계를 잇는 다리를 항상 열어놓는 데 필요한 도구들을 다루는 법도 알고 의식들도 알고 있으니, 이제부터는 이미 알고 있는 의식을 수행할 때마다 당신 영혼이 전생에서 배운 내용들을 떠올리게 될 거야.

목소리가 들린다는 건 보이지 않는 세계에서 일어난 일을 보이는 세계로 끌어왔다는 의미지. 그 말인즉, 영혼이 다음 단계로 나아갈 준비가 되었음을 깨달았다는 것이야. 첫번째 큰 목표는 달성되었어."

브리다는 자신의 원래 바람은 밝게 빛나는 점을 보겠다는 것이었음을 떠올렸다. 하지만 사랑의 탐색에 대해 심사숙고하면서부터, 애초의 소망은 한 주 한 주 지날 때마다 점점 더 시들해졌다.

"봄에 입문하기까지 딱 한 가지 시험이 남았어. 당장 그 시험을 통과하지 못하더라도 너무 걱정하지는 마. 앞으로도 춘분과 추분은 얼마든지 있으니 언젠가는 입문을 하게 될 거야. 지금까지 당신은 자기 안의 남성적인 면, 즉 지식을 다루었어. 그래서 인식하고 이해하는 능력은 갖췄지만, 주요한 변화의 힘 중 하나인 위대한 여성의 힘은 아직 접해본 적조차 없지. 변화가 없는 지식은 지혜가 아니야.

이 힘은 대부분의 마녀들과 몇몇 특별한 여자들 사이에서 늘 저주받은 힘이었어. 지구상의 모든 사람들은 이 힘에 대해 알고 있지. 그리고 우리 여자들은 우리 자신이 이 비밀의 위대한 수호자임을 알고 있고. 이 힘 때문에 우리는 위험하고 험난한 세상을 헤매며 살아가는 벌을 받았어. 왜냐하면 우리가 북돋운 이 힘은, 어떤 곳에서는 혐오스럽게 여겨지거든. 부지불식간이라도 일단 그 힘을 접하게 되면 평생 그것에 결속되어 살게 되지. 그 힘의 주인이 되거나 노예로 사는 거야. 그것을 신비로운 힘으로 변형시키거나, 혹은 그 엄청남을 의식조차 하지 못한 채 사용하게 되는 거지. 그 힘은 우리를 둘러싼 만물에 깃들어 있고, 평범한 사람들의 눈에 보이는 세계와 신비주의자들의 보이지 않는 세계 모두에 존재하고 있어. 그 힘은 학살될 수도, 모욕당할 수도, 숨겨질 수도, 심지어 부정될 수도 있어. 수년간 잠들어 있을 수도, 어느 구석엔가 처박혀 잊힐 수도 있어. 인류는 그 힘을 가지고 마음 내키는 대로 할 수 있지. 오직 한 가지를 제외하고는. 그것은 이 힘을 깨닫게 되는 순간, 인간은 평생 그것을 절대로 잊을 수 없다는 거야."

"그러니까 그 힘이 뭔데요?"

"계속 그렇게 어리석은 질문 하지 마." 위카가 대답했다. "나는 당신이 그게 뭔지 잘 알고 있다고 생각해."

브리다는 알고 있었다.

그것은 섹스였다.

위카는 순결하리만치 새하얀 커튼을 젖히고 풍경을 보여주었다. 강가에 면한 창문 밖으로 고풍스러운 건물들과 저 멀리 지평선의 산들이 보였다. 그 산들 중 한 곳에 마법사가 살고 있었다.

"저게 뭐지?" 위카가 성당 꼭대기를 가리키며 물었다.

"십자가요. 기독교의 상징이죠."

"로마인이라면 저 십자가가 있는 건물에는 절대 들어가지 않을 거야. 고문소라고 생각할 테니까. 그에게 저 건물의 전면 꼭대기에 있는 상징은 인류가 발명한 가장 잔인한 고문기구 중 하나니까.

십자가 자체는 바뀌지 않았을지 몰라도, 그것이 의미하는 바는 바뀌었어. 그와 마찬가지로, 인류가 신과 가까웠을 때 섹스는 신과 하나가 되는 상징적인 수단이었어. 섹스는 삶의 의미를 다시 접하는 것이었지."

"그런데 왜 신의 뜻에 따라 살고자 하는 이들은 대부분 섹스에서 멀어지는 건가요?"

위카는 브리다가 말을 끊어 언짢았지만 대답해주기로 했다.

"내가 말하는 그 힘은 단지 섹스 행위만을 가리키는 게 아니야. 어떤 이들은 실제로 섹스를 하지 않으면서도 그 힘을 사용하기도 해. 모두 자신이 선택한 길에 달려 있는 거야."

"저는 그 힘을 알아요." 브리다가 말했다. "어떻게 사용해야 하는지도 알고요."

다시 본론으로 돌아갈 때였다.

"침대에서 하는 섹스를 아는 거겠지. 그걸 안다고 해서 그 힘을 아는 것은 아니야. 남자든 여자든 섹스의 힘에는 지극히 취약해. 왜냐하면, 섹스에서는 쾌락이나 두려움이나 모두 똑같이 중요하거든."

"왜 쾌락과 두려움이 동시에 느껴지는 걸까요?"

드디어 브리다는 대답할 가치가 있는 질문을 한 것이었다.

"섹스를 경험해본 사람이라면 알고 있거든. 자신이 통제력을 잃어야만 그 절정에 이를 수 있는 경이로운 현상을 앞에 두고 있다는 것을. 우리가 누군가와 한 침대에 들어갈 때, 우리는 육체뿐 아니라 우리의 전 존재와 교감하도록 허락하는 거야. 우리와는 별개로 생명의 그 순수한 힘들은 서로 소통을 하고, 그러고 나면 우리가 누구인지 숨길 수가 없게 되지.

자기 자신에 대해 품고 있는 이미지가 어떤 것인지는 조금도 중요하지 않아. 아무리 멋진 가면을 쓰든, 제아무리 똑똑한 대답을 하든, 그럴싸한 변명을 하든, 전혀 중요하지 않다고. 섹스를 할 때는 상대를 속이기가 어려워. 각자 자신의 본모습을 보여주게 되기 때문이지."

위카는 그 힘에 대해 아주 잘 아는 듯했다. 두 눈에서는 빛이 났고 목소리에는 자신감이 배어 있었다. 어쩌면 그 힘 덕분에 그녀가 여전히 이렇게 매력적인지도 모른다. 브리다는 위카가 자신의 스승인 것이 좋았다. 언젠가는 그 모든 매력의 비밀을 그녀도 발견하게 되리라.

"입문식을 치르기 위해 당신은 그 힘을 경험해야 해. 그 밖의 모든 것은 위대한 신비의 일부야. 그건 의식을 치른 후에 알게 될 거야."

"그런데 어떻게 그 힘을 경험하죠?"

"아주 간단한 공식이야. 그리고 모든 단순한 것들이 그런 것처럼, 그 결과는 내가 지금까지 가르쳐준 어떤 복잡한 의식들보다도 어렵지."

위카는 브리다에게 다가가 양 어깨를 잡고 그녀의 눈 깊은 곳을 들여다보았다.

"자, 이게 공식이야. 언제나 오감을 사용하도록 해. 오르가슴의 순간, 오감이 한꺼번에 물밀듯 밀려오면 입문식을 치를 자격이 되는 거야."

"사과드리러 왔어요." 브리다가 말했다.

그들은 지난번에 만났던 장소에 있었다. 거대한 계곡이 내려다보이는, 산의 오른쪽 사면 위 바위들이 있는 곳이었다.

"가끔 전 생각한 것과 다르게 행동하게 될 때가 있어요." 그녀가 계속 말을 이었다. "하지만 당신께서도 사랑을 해본 적이 있다면 사랑으로 고통받는 것이 얼마나 힘든지 아실 거예요."

"그래, 알고 있지." 마법사가 대답했다. 그가 자기 사생활에 대해 말한 건 처음이었다.

"빛나는 점에 대해 하신 말씀은 옳았어요. 삶이 약간 재미가 없어지더라고요. 누군가를 만나는 것만큼이나 그 사람을 찾아가는 과정이 흥미롭다는 것을 알게 된 거죠."

"두려움을 극복한다면."

"네, 정말 그래요."

브리다는 많은 것을 알고 있는 마법사마저도 여전히 두려움을 느낀다는 게 반가웠다.

오후 내내, 그들은 눈 덮인 숲을 거닐었다. 그들은 식물들과 경치에 대해, 그리고 그 일대의 거미들은 어떻게 거미줄을 치는지에 관해 이야기를 나누었다. 그러다가 양떼를 이끌고 집으로 돌아가는 목동을 만났다.

"안녕, 산티아고!" 마법사가 목동에게 인사를 건네고는 그녀를 돌아보았다. "신께서는 목동들을 각별히 총애하시지. 자연과 침묵, 인내에 익숙한 이들이거든. 그들은 우주와 소통하는 데 필요한 모든 덕목을 갖추고 있어."

그때까지 그녀는 정작 말해야 할 주제에 관해 이야기하지 않았고, 브리다는 그 순간을 재촉하고 싶지 않았다. 그녀는 사는 이야기와 세상 돌아가는 이야기를 다시 하기 시작했다. 그런데 그녀의 육감이 로렌스라는 이름은 가급적 입에 올리지 말라고 경고하고 있었다. 그녀는 지금 무슨 일이 일어나고 있는지, 마법사가 자신에게 왜 이렇게 관심을 기울이는지 알지 못했지만, 그 불꽃을 계속 살려두어야 했다. 저주받은 힘, 위카는 그렇게 말했다. 그녀에게는 목표가 있었고, 오직 마법사만이 그녀가 그 목표를 이루도록 도울 수 있었다.

그들은 몇 마리 양들과 마주쳤다. 하얀 눈길 위에 양들의 발자국들이 찍힌 귀여운 오솔길이 나 있었다. 이번에는 목동이 보이지 않았지만 양들은 저희가 어디로 가는지, 저희가 무엇을 찾고 있는지 아는 것 같았다. 마법사는 브리다가 이해하지 못하는 태양 전승의 위대한 비밀을 눈앞에 두고 있기라도 한 듯, 한참 동안 양들을 바라보았다.

낮의 빛이 사위어가는 동안, 마법사를 만날 때마다 그녀를 압도하던 두려움과 존경심도 점차 무뎌졌다. 처음으로 그의 곁에서 마음이 고요해지고 안심이 되었다. 아마도 이제는 자신의 재능을 내보일 필요가 없기 때문인지도 모른다. 그녀는 목소리를 들었고, 이 남자들과 여자들의 세계에 입문하는 것은 이제 시간문제였다. 그녀 역시 신비로운 길의 한 부분을 이루었고, 목소리를 들은 그 순간부터 지금 그녀 곁에 있는 이 남자는 그녀 우주의 일부가 되었다.

브리다는 오래된 별들에 대해 이야기해달라며 종종 로렌스에게 조를 때처럼, 마법사의 양손을 잡고 태양 전승에 대해 조금이라도 설명해달라고 말하고 싶은 충동을 느꼈다. 그것은 비록 서로의 시각은 달라도, 그들이 같은 것을 바라보고 있음을 말하는 방식이었다.

그도 그걸 원하고 있어, 무언가가 그녀에게 말했다. 달 전승의 신비로운 목소리가 아니었다. 불안에 떨고 있는, 때로는 어리석기도 한 그녀 마음의 목소리였다. 그녀는 그 목소리에 귀를 기울이려 한 적이 없었다. 그것이 늘 이해할 수 없는 길로 그녀를 이끌기 때문이었다.

그런데도 감정은 야생마와도 같아, 제 이야기에 귀 기울여달라고 떼를 썼다. 브리다는 그것이 제풀에 지칠 때까지 한참 동안 제멋대로 날뛰도록 내버려두었다. 감정은 그녀가 그와 사랑에 빠진다면 그날 오후가 얼마나 근사해질지 이야기했다. 사랑에 빠지면 모든 것을 배울 수 있고, 감히 생각지 못한 것들을 이해할 수 있었다. 사랑이야말로 모든 신비를 이해할 수 있는 열쇠이기 때문이었다.

그녀는 사랑에 빠진 마법사와 자신의 여러 가지 모습들을 상상하고 나서야 겨우 감정을 다시 다스릴 수 있었다. 결국 그녀는 마법사와 같은 남자는 절대 사랑할 수 없을 거라고 스스로를 타일렀다. 그는 우주를 이해하는 사람이었고, 우주에서 보면 인간의 감정 따위는 하찮아 보일 것이기 때문이었다.

그들은 폐허가 된 오래된 성당에 도착했다. 마법사가 바닥에 흩어져 있는 돌무더기에 다가가 그 위에 앉았다. 브리다는 창문턱의 눈을 치웠다.

"이곳에 살면 정말 좋을 것 같아요. 낮에는 숲에서 지내고, 밤에는 따뜻한 집으로 돌아와 잠을 자고." 그녀가 말했다.

"그래, 좋아. 나는 온갖 새들의 노래를 들을 줄 알고, 신께서 보내시는 표지를 읽을 줄 알지. 나는 태양 전승과 달 전승 모두를 배웠어."

'그런데도 외롭지.' 그는 그렇게 말하고 싶었다. '그리고 외롭다면 온 우주를 이해한다 해도 아무 소용이 없어.'

그곳에, 그의 눈앞에, 그의 소울메이트가 창문턱에 앉아 있었다. 그녀의 왼쪽 어깨 위에 환하게 빛나는 점이 보였다. 그리고 그는 두 전승을 모두 배운 것이 후회스러웠다. 어쩌면 그 점 때문에 그녀를 사랑하는 것일 수도 있었다.

'영리한 여자야. 전에 위험을 감지하고는 이젠 빛나는 점에 대해 알고 싶어하지 않는 거야.'

"제 재능이 무엇인지 들었어요. 위카는 훌륭한 마스터예요."

그날 오후 그녀가 마법에 대해 이야기를 꺼낸 것은 그것이 처음이었다.

"목소리는 세상의 신비를, 시간에 봉인되어 있으나 마녀들에 의해 세대를 거듭해 전수된 신비를 가르쳐줄 거야."

마법사는 자신이 하는 말에 별 주의를 기울이지 않고 말했다. 그는 처음 소울메이트를 만났을 때가 언제였는지 기억하려고 애썼다. 고독한 사람들은 시간감각을 잃어버린다. 시간은 길고, 하루는 끝이 보이지 않는다. 그런데, 그들의 만남은 이번이 겨우 세번째였다. 브리다는 모든 것을 굉장히 빨리 배웠다.

"저는 의식들을 알고 있어요. 춘분이 오면 위대한 신비에 입문하게 될 거예요."

브리다는 다시 긴장하기 시작했다.

"그런데 아직 모르는 게 한 가지 있어요. 모든 사람들이 알고 있고, 신비처럼 숭배하는 힘이죠."

마법사는 그날 오후 그녀가 왜 그곳에 왔는지 이해했다. 그저 숲 속을 거닐며 시간이 흐를수록 점점 더 가까워지는 두 개의 발자국을 눈 위에 남기려고 온 것이 아니었다.

브리다가 얼굴을 감싸고 있는 외투 깃을 바짝 여몄다. 걷다가 멈추는 바람에 더 추워져서인지, 아니면 긴장한 모습을 감추고 싶어서인지, 스스로도 알 수 없었다. 마침내 그녀는 털어놓았다.

"섹스의 힘을 일깨우는 법을 배우고 싶어요. 오감을 통해서요. 위카는 이 주제에 대해서는 이야기해주지 않아요. 그저 제가 목소리를 발견했듯, 그것 또한 발견할 거라고만 하죠."

그들은 한동안 침묵에 잠겨 있었다. 그녀는 왜 하필 폐허가 된 성당에서 이런 이야기를 해야 했는지 자문했다. 하지만 곧 힘을 사용하는 법에는 여러 가지가 있다는 것을 떠올렸다. 그곳에 거했던 수도자들은 금욕을 통해 힘을 사용했고, 지금 그녀가 말하고자 하는 것을 알아들으리라.

"온갖 방법들을 다 찾아보았어요. 뭔가 트릭이 있다는 예감이 들어요. 전화 통화를 하면서 사실은 타로카드를 바라보도록 했던 것처럼요. 위카는 그걸 제게 그대로 가르치고 싶어하지 않아요. 제가 보기에 그녀는 그걸 아주 어렵게 배웠고, 그래서 저도 똑같이 난관을 겪도록 하려는 것 같아요."

"그래서 나를 찾아온 건가?" 그가 말을 끊었다.

브리다는 그의 눈 깊은 곳을 바라보았다.

"네."

브리다는 그 대답으로 그를 설득할 수 있기를 바랐다. 하지만 그를 만난 이후 이제는 그렇게 자신이 있지 않았다. 눈 덮인 숲길, 하얀 눈에 반사되어 환히 빛나는 햇빛, 평범한 일상사에 관한 편안한 대화. 그 모든 것들 때문에 그녀의 감정은 야생마처럼 날뛰고 있었다. 그녀는 자신을 설득해야 했다. 자신이 그곳에 있는 것은 오직 한 가지 목표를 찾기 위해서이고, 어떻게든 그 목표를 이루어야 한다고. 왜냐하면, 신은 남자가 되기 전에 여자였으므로.

마법사는 앉아 있던 돌더미에서 일어나, 무너지지 않고 유일하게 남아 있는 벽을 향해 다가갔다. 벽 중앙에는 문이 있었다. 그는 문지방을 밟고 섰다. 오후의 햇볕이 그의 등에 내리쬐었다. 브리다 쪽에서는 그의 얼굴이 보이지 않았다.

"위카가 자네에게 가르쳐주지 않은 것이 하나 있어." 마법사가 말했다. "아마도 가르치는 걸 잊었거나, 당신 스스로 발견하기를 바랐던 거겠지."

"그래서 제가 여기 온 거예요. 스스로 발견해서요."

그리고 브리다는 마음속으로 자신에게 물었다. 바로 이것이 마스터가 계획했던 것이 아닐까. 이 남자와 만나는 것.

"가르쳐주겠네." 마침내 그가 말했다. "나를 따라오게."

그들은 가장 크고 튼튼한 나무들이 서 있는 곳까지 걸었다. 개중 몇 그루의 나무에는 조잡한 나무 사다리들이 매달려 있었다. 사다리 맨 꼭대기에는 움막 같은 것들이 보였다.

'태양 전승을 수행하는 이들이 사는 곳인가봐.' 그녀는 생각했다.

마법사는 조심스럽게 움막을 하나하나 살피더니, 한 곳을 골라 그녀에게 함께 올라가자고 했다.

브리다는 올라가기 시작했다. 중간쯤 올라가자, 그녀는 무서웠다. 떨어지면 목숨이 위태로울 수도 있었다. 그러나 그녀는 계속 올라가기로 결심했다. 그녀는 숲의 정령들이 보호해주는 신성한 장소에 와 있었다. 마법사는 올라가면서 허락을 구하지 않았는데, 태양 전승에서는 그럴 필요가 없는 모양이었다.

꼭대기에 도착하자 그녀는 긴 한숨을 내쉬었다. 다시 한번 자기 안의 두려움을 극복해낸 것이다.

"자네에게 길을 가르치기에 적절한 장소야." 마법사가 말했다. "매복을 하는 곳이지."

"매복이라고요?"

"사냥꾼들이 머무는 움막이야. 짐승들이 인간의 냄새를 맡지 못하도록 높은 곳에 있어야 하거든.

사냥꾼들은 일 년 내내 저 아래 땅바닥에 음식을 뿌려두지. 그리고 사냥감이 이곳에 익숙해지게 한 후에, 적당한 날을 잡아 사냥하지."

브리다는 바닥에 흩어져 있는 빈 탄약통들을 발견하고 충격을 받았다.

"아래를 보게." 그가 말했다.

두 사람이 있기에는 비좁은 공간이라, 둘의 몸은 거의 맞닿다시피 했다. 그녀는 일어나 아래쪽을 내려다보았다. 그들이 올라와 있는 나무는 가장 큰 나무인 듯했다. 다른 나무들의 꼭대기와 계곡이 내려다보였고, 지평선에는 눈 덮인 산들이 펼쳐져 있었다. 아름다운 곳이었다. 그곳이 사냥꾼들의 매복 장소라고 말하지 않았다면 더 좋았을 뻔했다.

마법사가 천장의 캔버스 천을 거두자, 그곳으로 갑자기 햇빛이 쏟아져들어왔다. 날씨는 쌀쌀했고, 브리다는 세상 꼭대기에 있는 마법의 장소에 와 있는 것만 같았다. 감정들이 다시 날뛰려고 해서 계속 통제해야 했다.

"자네가 알고 싶어하는 것을 설명해주기 위해 굳이 이곳까지 데리고 올 필요는 없었네." 마법사가 말했다. "하지만 나는 자네가 이 숲을 더 잘 알기를 바랐어. 사냥꾼도 사냥감도 멀리 있는 겨울이면, 나는 자주 이곳에 올라와 대지를 감상하지."

마법사는 그녀와 함께 자신의 세상을 진정으로 공유하고 싶었다. 브리다의 피가 더욱 빨리 내달리기 시작했다. 그녀는 평화로움을 느꼈고, 유일한 해결책이라고는 통제의 고삐를 놓아버리는 것뿐인 삶의 한순간에 자신을 내맡겼다.

"인간이 세상과 맺는 모든 관계는 오감을 통해 이루어지네. 마법의 세계에 몸을 던진다는 것은 미지의 감각들을 발견하는 것이고, 섹스는 그 미지의 감각으로 통하는 문들 중 몇 가지로 우리를 추동해 가지."

마법사의 목소리가 돌연 바뀌어 있었다. 꼭 생물학을 강의하는 교수의 목소리 같았다. '어쩌면 이편이 차라리 나을지도 모르지.' 별다른 확신 없이 그녀는 생각했다.

"자네가 섹스의 힘에서 지혜를 찾든, 쾌락을 찾든, 그건 중요하지 않아. 섹스란 언제나 총체적인 경험이야. 오감을 동시에 접촉하게 되는, 혹은 접촉해야만 하는 유일한 인간 행위이기 때문이지. 상대방을 향한 모든 채널이 활짝 열리는 거야.

그리고 오르가슴에 이른 순간, 오감은 사라지고 마법의 세계로 접어들지. 이제 우리는 볼 수도, 들을 수도, 맛을 볼 수도, 감촉을 느낄 수도, 냄새를 맡을 수도 없어. 그 기나긴 몇 초 동안 모든 것은 사라지고 황홀경이 그 자리를 차지하게 되지. 신비주의자들이 몇 년간의 금욕과 수련 끝에 도달하는 것과 완벽하게 똑같은 황홀경이야."

브리다는 왜 신비주의자들이 오르가슴을 통해 황홀경을 구하지 않는지 묻고 싶었지만 그들이 천사들의 후예임을 떠올렸다.

"이러한 황홀경으로 추동하는 힘이 바로 오감이야. 감각들이 강하게 자극받을수록, 추동하는 힘은 한층 더 강해지지. 그리고 황홀경은 더욱 깊어지네. 이해하겠나?"

명료했다. 그녀는 모든 것을 이해하고 고개를 끄덕였다. 하지만 그의 마지막 질문 때문에 그녀는 그가 멀게 느껴졌다. 그녀는 숲속을 걸을 때처럼 그가 아주 가까이 있기를 바랐다.

"이게 전부야." 그가 말했다.

"그건 나도 아는 것들이에요. 그런데도 거기 이르지 못했다고요!" 로렌스에 대해서는 말할 수 없었다. 그러면 위험할 것 같다는 예감이 들었다. "그것에 이르는 방법이 있다고 말씀하셨잖아요!"

그녀는 초조해졌다. 감정이 날뛰기 시작했고, 그녀는 통제력을 잃어가고 있었다.

마법사는 다시 숲을 내려다보았다. 브리다는 마법사 역시 자신의 감정과 싸우고 있는 게 아닐까 하고 생각했다. 하지만 자신이 하고 있는 생각을 믿고 싶지 않았고, 믿어서도 안 되었다.

그녀는 태양 전승이 어떤 것인지 알고 있었다. 태양 전승의 마스터들은 공간을 통해, 순간을 통해 가르쳤다. 브리다는 처음 그를 찾아오기 전에 이미 그런 식으로 가르칠 거라고 생각했다. 그리고 그녀는 언젠가 아무도 없는 곳에서 마스터와 지금처럼 단둘이 있게 되리라고 상상했다. 그렇게 태양 전승의 마스터들은 이론을 지나치게 중시하지 않고, 언제나 실천을 통해 가르쳤다. 숲에 오기 전에 그녀는 이 모든 것에 대해 이미 숙고했다. 그리고 어쨌든, 이곳으로 왔다. 지금 그녀의 길이 그 무엇보다 중요했기 때문이었다. 여러 생을 거쳐 내려온 전승을 이어가야 했다.

그런데 지금 마법사는 말을 앞세우는 위카처럼 행동하고 있었다.

"직접 가르쳐주세요."

그녀가 다시 한번 말했다.

마법사는 나뭇잎을 다 떨구고 서 있는 눈 쌓인 나무 꼭대기들을 응시했다. 그 순간 그는 자신이 마스터라는 사실을 망각할 수 있었다. 그는 그저 마법사일 뿐이었고, 다른 모든 남자들과 똑같은 한 남자였다. 자신의 소울메이트가 앞에 있었다. 그는 자신이 보고 있는 빛에 대해 말할 수 있었다. 그녀는 그의 말을 믿으리라. 그리고 그들의 재회는 이루어지리라. 화가 나서 울면서 뛰쳐나간다 해도, 결국 그녀는 돌아올 것이다. 그가 진실을 말했기 때문이었다. 그리고 그에게 그녀가 필요하듯, 그녀에게도 그가 필요하기 때문이었다. 이것이 소울메이트의 지혜였다. 그들은 언제나 서로를 알아본다.

하지만 그는 마스터였다. 그리고 예전에 스페인의 한 마을에서 성스러운 맹세를 했다. 그 맹세에 따르면, 마스터는 절대 누군가에게 선택을 강요해서는 안 된다. 그는 한 번 그런 실수를 저질렀고, 그 때문에 이렇게 오랜 세월 세상으로부터 유배된 채 살아가고 있다. 이번 경우는 달랐지만, 그럼에도 위험을 감수하고 싶진 않았다. '그녀를 위해서라면 마법을 포기할 수도 있어.' 한순간이나마 그런 생각을 한 적도 있었다. 그러고는 자신이 얼마나 어처구니없는 생각을 했는지 이내 깨달았다. 사랑은 이런 식의 포기를 요구하지 않는다. 진정한 사랑은 서로에게 자신의 길을 가도록 허락한다. 그 때문에 서로가 갈라지는 일은 없다는 것을 알기 때문이다.

인내심을 가져야 했다. 목동의 인내심을 기억하고, 조만간 두 사람이 함께할 것임을 알아야 했다. 그것이 법칙이었다. 그는 평생 그 법칙을 믿어왔다.

"자네가 내게 묻는 것은 아주 간단한 것이야." 마침내 그가 말했다. 그는 계속 자기 자신을 억눌렀다. 자제심이 이긴 것이다.

"상대를 만질 때는 반드시 오감이 모두 작동하도록 하게. 섹스는 그 자체의 생명력을 지니고 있어. 시작하는 순간부터 자신을 제어할 수가 없게 되네. 점점 더 섹스가 자네를 제어하게 되지. 자네가 섹스에 대해 가졌던 두려움과 욕망, 경계심은 계속 남아 있을 거야. 종종 사람들이 성적으로 무력해지는 것은 바로 그 때문이야. 섹스를 위해 침대로 향할 때는 오직 사랑, 그리고 제대로 작동하는 오감만 가지도록 하게. 그래야만 신과의 소통을 경험할 수 있어."

브리다는 바닥에 흩어져 있는 탄약통들을 가만히 바라보았다. 그녀는 단 한 순간도 자신의 감정을 드러내지 않았다. 마침내 그녀는 트릭이 무엇인지 알았다. 내가 관심 있는 건 오직 그거야, 하고 그녀는 생각했다.

"내가 자네에게 가르쳐줄 수 있는 건 이게 전부야."

그녀는 계속 꼼짝도 않고 있었다. 야생마들은 침묵에 길들여지고 있었다.

"차분하게 일곱 번 심호흡을 해보게. 육체적 접촉을 갖기 전에 모든 감각이 열려 있도록 해. 그리고 나머지는 시간에 맡기게."

그는 태양 전승의 마스터였다. 그리고 이제 막 새로운 시험을 이겨냈다. 또한 그의 소울메이트는 그로 하여금 많은 것들을 배우게 한 것이다.

"자, 높은 곳에서 근사한 풍경을 보았으니, 이제 내려가세."

그녀는 광장에서 놀고 있는 어린아이들을 멍하니 바라보고 있었다. 모든 도시에는 '마법의 장소'가 있다고, 삶에 대해 진지하게 생각하고 싶을 때 찾는 장소가 있기 마련이라는 이야기를 들은 적이 있었다. 이 광장은 더블린에 있는 그녀의 '마법의 장소'였다. 꿈과 기대에 가득 부풀어 이 커다란 도시에 왔을 때, 그녀는 이 광장과 가까운 곳에 처음으로 방을 얻었다. 당시 그녀 인생의 목표는 트리니티 칼리지에 들어가 최종적으로는 문학교수가 되는 것이었다. 그녀는 지금처럼 광장의 벤치에 오래 앉아, 시를 쓰면서 자신이 숭배하던 소설가나 시인들의 흉내를 냈다.

하지만 아버지가 보내주는 돈이 부족해, 지금 다니는 무역회사에 취직을 해야 했다. 그녀는 불평하지 않았다. 자기가 하는 일에 만족했고, 지금 이 순간 직장은 그녀 인생에서 가장 중요한 것들 중 하나였다. 덕분에 모든 것에 대한 현실감각을 잃지 않았고, 미치지 않을 수 있었다. 직장은 보이는 세계와 보이지 않는 세계 사이의 아슬아슬한 균형을 유지해주었다.

아이들이 놀고 있다. 그녀가 옛날에 그랬듯, 이 아이들은 요정들과 마녀들에 대한 이야기를 좋아한다. 특히나 검은 옷을 입은 마녀가 숲속에서 길을 잃은 불쌍한 소녀에게 독이 든 사과를 건네는 이야기를. 그러나 이 아이들 중 아무도 여기, 진짜 마녀가 저희가 노는 모습을 지켜보고 있는 줄은 상상도 못할 것이다.

그날 오후, 위카는 달 전승과 아무 상관이 없는 수련을 가르쳐주었다. 누구라도 결과를 얻을 수 있는 수련이었다. 그러나 보이는 세계와 보이지 않는 세계 사이의 다리를 유지시키는 데 꼭 필요한 수련이었다.

수련은 간단하기 그지없다. 잠자리에 들어 긴장을 풀고, 도시의 번화한 상점가를 상상하면 되었다. 일단 정신을 집중하고, 그녀가 상상하고 있는 거리의 쇼윈도를 하나 골라서 그것을 들여다보는 것이다. 그리고 모든 세부사항을 기억해둔다. 진열된 물건과 가격, 그리고 디스플레이까지. 수련이 끝나면 그 거리에 나가서 상상했던 쇼윈도의 모든 것들이 실제와 일치하는지 확인한다.

그녀가 지금 광장에서 아이들을 바라보고 있는 것은 그 때문이었다. 방금 전에 그 가게에 다녀오는 길이었다. 정신을 집중해 상상했던 물건들이 정확히 거기에 있었다. 그녀는 그것이 정말 보통 사람들을 위한 수련인지, 아니면 그녀가 몇 달 동안 마녀수업을 받아 얻은 결과인지 궁금했다. 아마 대답은 절대 알지 못할 것이다.

그러나 수련중에 상상했던 거리는 그녀의 '마법의 장소'와 가까운 곳에 있었다. '우연이란 없어.' 그녀는 생각했다. 그리고 풀지 못한 하나의 문제 때문에 가슴이 먹먹했다. 사랑이었다. 그녀는 로렌스를 사랑했고, 거기에는 한 치의 의심도 없었다. 달 전승을 터득하고 나면 그의 왼쪽 어깨에 빛나는 점이 보일 것이다. 제임스 조이스가 『율리시스』의 영감을 얻었다는 탑 근처의 카페에 함께 핫초콜릿을 마시러 갔던 오후, 그녀는 그의 두 눈에서 특별한 빛을 보았다.

마법사의 말이 옳았다. 태양 전승은 모든 사람들이 갈 수 있는 길이었다. 기도하고 인내를 아는 사람이라면, 전승의 가르침을 배우고 싶은 사람이라면 누구든 그 신비를 풀 수 있었다. 그녀는 달 전승에 빠져들수록, 태양 전승을 이해하고 경외하게 되었다.

마법사. 그녀는 다시 그를 생각하고 있다. 그녀가 자신의 '마법의 장소'에 온 것은 바로 그 때문이었다. 사냥꾼 움막에 함께 찾아간 이후로, 그녀는 자주 그를 생각했다. 지금도 당장이라도 그곳으로 가서 방금 자신이 한 수련에 관해 이야기하고 싶었다. 하지만 그것은 핑계에 불과했다. 사실은 그의 초대를 받아 함께 숲속을 거닐고 싶었다. 그녀는 그가 반갑게 맞아주리라는 것을 확신했고, 어떤 알 수 없는 이유로 그 역시 그녀와 함께 있는 것을 좋아한다고 믿기 시작했다. 그 이유가 무엇인지는 감히 알아볼 엄두도 나지 않았지만.

'하여튼 나는 상상이 지나치다니까.' 그녀는 마법사를 자기 머릿속에서 몰아내려고 애썼다. 하지만 그가 곧 다시 머릿속으로 돌아오리라는 걸 알고 있었다.

그의 생각이 머리에서 떠나질 않았다. 그녀는 여자였고, 새로운 열정의 징후에 관해서라면 익히 알고 있었다. 무슨 일이 있어도 그것만은 피해야 했다. 그녀는 로렌스를 사랑했고, 앞으로도 계속 그러기를 바랐다. 그녀의 세상은 이미 충분히 변해 있었다.

토요일 아침, 로렌스에게서 전화가 왔다.

"바위산에 가지 않을래?"

브리다는 간식거리를 약간 준비해 나갔고, 그들은 난방이 고장 난 버스를 타고 한 시간 정도를 견딘 후 정오가 다 되어 마을에 도착했다.

브리다의 가슴은 벅차올랐다. 영문과 1학년 시절, 그녀는 지난 세기 이곳에 살았던 시인의 시를 탐독했다. 시인은 신비로운 사람으로, 달 전승에 관해 정통했고 비밀단체의 회원이기도 했다. 그는 영적인 길을 탐색하고자 하는 사람들을 위해 자신의 작품들에 비밀 메시지를 남겨놓았다. 바로 W.B. 예이츠였다. 그녀는 작은 항구에 정박된 배들 위로 갈매기가 날아다니는, 오늘 같은 쌀쌀한 아침에 딱 맞는 예이츠의 시구를 떠올렸다.

나는 네 발밑에 내 꿈의 씨를 뿌렸네

그들은 그 작은 마을의 하나뿐인 바에 들어가 추위를 이기기 위해 위스키를 마신 후, 바위산을 향해 출발했다. 좁은 아스팔트 도로는 곧 오르막길이 되었고, 삼십 분 후 그들은 그곳 주민들이 '벼랑'이라고 부르는 곳에 도착했다. 깎아지른 듯한 절벽이 바다와 맞닿아 있는 바위 곶(串)이었다. 곶을 따라 오솔길이 나 있었다. 서두르지 않고 천천히 걸어도 네 시간이면 충분히 한 바퀴 둘러보고 더블린으로 가는 버스를 탈 수 있을 터였다.

브리다는 이렇게 도시를 벗어나 경치를 즐기는 것이 기뻤다. 올해 그녀의 삶에 수많은 감동이 예비되어 있었다 해도, 겨울을 나는 것은 언제나 힘든 일이었다. 낮에는 직장에 가고, 저녁에는 학교에 가고, 주말에는 극장에 가는 것이 전부였다. 정해진 시간에 맞춰 의식을 행하고 위카가 가르쳐준 춤을 추었다. 하지만 그녀는 세상 속에 있고 싶었다. 가끔은 밖으로 나가 자연을 즐기고 싶었다.

구름이 낮게 깔린 흐린 날씨였다. 하지만 몸을 움직이고 있는데다 위스키도 한잔 마셔서인지 그다지 춥지 않았다. 둘이 나란히 걷기에 오솔길은 너무 좁았다. 로렌스가 앞장섰고 브리다는 몇 미터 뒤에서 따라갔다. 대화를 나누기에는 힘든 상황이었다. 그럼에도 그들은 그들을 에워싼 자연을 함께 나누고, 이따금 상대방이 가까이 있음을 느낄 수 있을 정도로 몇 마디씩 주고받았다.

그녀는 어린아이처럼 매료되어 풍경을 둘러보았다. 수천 년 전, 도시도, 항구도, 시인도, 달 전승을 좇는 여인들도 없던 시절과 필시 똑같은 풍경일 터였다. 그 시절 이곳에는 암석들과 저 아래 바위에 부딪혀 부서지는 바다, 그리고 낮은 구름 사이를 날아다니는 갈매기들뿐이었다. 이따금 절벽을 내려다보면 가벼운 현기증이 일었다. 바다는 그녀가 이해하지 못하는 것들을 이야기했고, 갈매기들은 그녀가 알아볼 수 없는 모양을 그리며 날았다. 그럼에도 그녀는 이 원시적 세계를 가만히 응시했다. 거기, 그 어떤 책이나 제의에서도 발견하지 못한 진정한 우주적 지혜가 담겨 있다는 듯이. 항구에서 멀어질수록 꿈이니 일상이니 탐색이니 하는 것들은 모두 대수롭지 않게 느껴졌다. 오직 위카가 말했던 '신의 표지'만이 남았다.

이제 남은 것은 이 원초의 순간뿐이었다. 자연의 순수한 힘과 살아 있는 존재의 감각을 느끼며 사랑하는 이의 곁에 머무는 이 순간.

거의 두 시간을 걸은 끝에 넓은 오솔길에 다다르자 그들은 나란히 앉아 쉬기로 했다. 오래 머물 수는 없었다. 곧 참을 수 없을 정도로 추워질 터라 몸을 움직여야 했다. 하지만 그녀는 구름을 바라보고 파도 소리를 들으면서 적어도 몇 분만이라도 그의 곁에 있고 싶었다.

대기중에서는 파도 냄새가 났고, 입안에서는 짠맛이 느껴졌다. 브리다는 로렌스의 외투에 얼굴을 묻고 온기를 느꼈다. 강렬한 충일함이 느껴지는 순간이었다. 그녀의 오감이 모두 작동하고 있었다.

찰나와도 같은 순간, 그녀는 마법사를 생각했으나 곧 잊어버렸다. 지금 그녀의 관심은 온통 오감에 쏠려 있었다. 그것들이 계속 작동하고 있어야 했다. 지금이 바로 그 순간이었다.

"로렌스, 할 말이 있어."

로렌스가 뭐라고 중얼거렸다. 하지만 그의 마음은 두려웠다. 구름과 절벽을 바라보면서, 그는 이 여자가 자기 필생의 여자임을 깨달았다. 그녀는 이 바위 절벽과 하늘, 그리고 이 겨울에 관한 설명이자 그것들이 존재하는 유일한 이유였다. 그녀가 그와 함께하지 않는다면, 하늘의 모든 천사가 내려와 그를 위로해준다 하더라도 아무 소용이 없었다. 천국도 아무 의미가 없다.

"사랑한다고 말하고 싶어." 브리다가 부드럽게 말했다. "당신이 내게 사랑의 기쁨을 알려줬으니까."

그녀는 온 풍경이 자기 영혼으로 스며들어오는 온전한 충만함을 맛보았다. 로렌스가 그녀의 머리칼을 쓰다듬었다. 위험을 감수한다면 한 번도 경험해보지 못한 사랑을 맛볼 수 있을 거야, 그녀는 확신했다.

브리다는 그에게 키스했다. 그의 입술을 맛보고, 그의 혀를 느꼈다. 그녀는 움직임 하나하나를 느꼈고, 그 역시 자신과 똑같이 느끼고 있으리라고 생각했다. 태양 전승은 세상을 처음인 듯 바라보는 이들에게 스스로의 존재를 드러내기 때문이다.

"로렌스, 여기서 당신과 사랑을 나누고 싶어."

아주 짧은 순간, 그는 이곳이 공공장소이고, 누군가 그곳을 지나갈지도 모른다고 생각했다. 한겨울에 그곳에 산책을 올 정도로 미친 누군가가 또 있을지도 모른다. 하지만 그런 사람이라면, 일단 작동하기 시작하면 제어할 수 없는 힘들도 있다는 것을 이해하리라.

그는 그녀의 스웨터 아래로 손을 집어넣어 가슴을 어루만졌다. 브리다는 온전히 자신을 내맡겼다. 세상의 모든 힘이 오감을 뚫고 들어와 그녀를 사로잡는 에너지로 바뀌었다. 그들은 땅 위에 드러누웠다.

바위 절벽과 바다 사이에, 하늘 위 살아 있는 갈매기들의 삶과 땅 위 돌들의 죽음 사이에 드러누웠다. 그리고 두려움 없이 사랑을 나누기 시작했다. 신께서는 순수한 이들을 지켜주시므로.

그들은 추위도 느끼지 않았다. 몸속의 피가 너무나 빠르게 흘러 브리다는 옷을 벗어던졌고, 로렌스 역시 그녀를 따라 옷을 벗었다. 이제는 아픔도 느껴지지 않았다. 무릎과 등이 돌투성이 바닥에 긁혔지만 그것도 쾌락을 완성하는 일부였다. 브리다는 오르가슴에 다다르고 있음을 알았다. 하지만 그녀가 세상과 완벽하게 하나가 되었기에, 그것은 아주 머나먼 느낌이었다. 그녀의 몸과 로렌스의 몸은 바다와 돌, 그리고 삶과 죽음에 섞여들었다. 브리다는 그 상태로 가능한 한 오래 머물렀고, 그러는 동안 그녀의 몸 한 부분이 전에 한 번도 경험해본 적이 없는 무언가를 하고 있음을 희미하게 지각했다. 그것은 삶의 의미와의 재회이고, 에덴 동산으로의 귀환이고, 이브가 다시 아담 속으로 들어가 두 소울메이트가 합일을 이루어 천지를 창조하는 순간이었다.

마침내 그녀를 에워싼 세상을 더는 제어할 수 없는 상태가 되었다. 그녀 안의 오감이 고삐가 풀려 박차고 나가려는 듯했다. 그러나 그녀에겐 그것들을 붙잡을 힘이 남아 있지 않았다. 마치 성스러운 빛이 그녀를 어루만지기라도 한 듯 그녀는 오감을 놓아버렸다. 그 순간 세상과 갈매기들, 소금의 짠맛, 울퉁불퉁한 땅, 바다 냄새, 구름의 형상, 이 모든 것들이 완전히 사라져버렸다. 그리고 그것들이 있었던 자리에는 거대한 황금빛이 일었다. 그 빛은 점점 더 커지고 또 커지더니, 가장 멀리 있는 은하계의 별까지 다다랐다.

그녀는 그 상태에서 천천히 하강했고, 바다와 구름들이 다시 모습을 드러냈다. 하지만 이제 모든 것들은 충만한 평화에, 어떤 우주의 평화에 잠겨 있었다. 찰나의 순간, 브리다는 그 우주를 이해할 수 있었다. 그 순간, 세상과 소통하고 있었기 때문이다. 그녀는 보이는 세계와 보이지 않는 세계를 잇는 또다른 다리를 발견했고, 이제 다시는 그 길을 잊지 않을 것이다.

다음 날 브리다는 위카에게 전화를 걸었다. 그리고 자신이 겪은 일을 이야기했고, 그러는 동안 위카는 아무 말 없이 듣고만 있었다.

"축하해." 이윽고 위카가 말했다. "마침내 이루었군."

그리고 그 순간부터 섹스의 힘이 세상을 바라보고 느끼는 방식에 완전한 변화를 불러일으킬 거라고 설명했다.

"이제 당신은 춘분절 축제를 위한 준비가 끝난 거야. 이제 한 가지만 남았어."

"또 있어요? 준비가 다 되었다면서요!"

"쉬운 거야. 옷 꿈을 꾸기만 하면 돼. 당신이 그날 입을 옷에 관한 꿈을."

"만일 꾸지 못하면요?"

"꾸게 될 거야. 가장 어려운 것도 해냈잖아."

그리고 위카는 종종 그랬듯 갑자기 화제를 바꿨다. 차를 새로 샀다면서 쇼핑을 가고 싶다는 것이었다. 그녀는 브리다에게 함께 가주지 않겠냐고 물었다.

브리다는 위카의 초대가 자랑스럽게 느껴졌고, 시간 전에 퇴근해도 될지 직장상사에게 허락을 구했다. 겨우 쇼핑일 뿐이었지만, 위카가 그녀에게 어떤 식으로든 애정을 표현한 것은 이번이 처음이었다. 이 순간 얼마나 많은 제자들이 내 자리에 있고 싶어할까, 브리다는 생각했다.

그날 오후 그녀는 위카에게 자신이 얼마나 중요한 사람인지, 그리고 그녀의 친구가 되고 싶은지 보여줄 수 있을지도 모른다. 브리다는 영적 탐색과 우정을 분리하는 게 쉽지 않았다. 그런 까닭에 그때까지 마스터가 그녀의 삶에 아무런 관심도 보이지 않는다는 것이 섭섭했다. 그동안 그들의 대화는 그녀가 달 전승에서 좋은 성과를 거두는 데 필요한 화제를 넘어선 적이 없었던 것이다.

위카는 약속한 시간에 차 지붕을 접은 붉은색 MG 컨버터블 안에서 그녀를 기다리고 있었다. 영국 자동차 산업의 클래식 모델로, 차체는 번쩍번쩍 광이 나고 나무로 만든 대시보드에는 왁스칠이 되어 있는, 보기 드물게 보존 상태가 좋은 차였다. 브리다는 차의 가격을 상상해볼 엄두조차 나지 않았다. 마녀가 이렇게 비싼 차를 가지고 있다니, 약간 겁도 났다. 달 전승에 대해 알지 못했던 어린 시절에, 마녀들이 돈과 권력에 대한 대가로 악마와 끔찍한 계약을 한다는 이야기를 들은 적이 있었다.

"차 뚜껑을 열고 달리기에는 좀 춥지 않아요?" 브리다는 차를 타며 물었다.

"여름까지 기다리기가 싫어서." 위카가 대답했다. "그저 기다릴 수가 없어서 그래. 이렇게 운전해보고 싶어 죽겠거든."

다행이었다. 적어도 이런 면에서는 그녀 역시 평범한 사람이었다.

그들은 거리로 나섰다. 나이든 사람들은 감탄 어린 시선을 보냈고, 몇몇 남자들은 휘파람을 불며 찬사를 보냈다.

"옷 꿈을 꾸지 못할까봐 걱정한다는 건 상서로운 표지야." 위카가 말했다. 브리다는 이미 아까 통화한 내용은 까맣게 잊고 있던 차였다. "항상 의심해야 해. 의심이 사라지면 그건 당신이 앞으로 나아가기를 멈췄기 때문이야. 그러면 신께서 모든 것을 허물어뜨리실 거야. 그게 그분이 선택하신 이들을 제어하는 방법이지. 그분께서는 선택한 자들이 그 길을 끝까지 갈 수 있도록 언제나 돌보시지. 자기만족에 빠지든, 게으름을 피우든, 혹은 이제 알 만큼 안다는 착각에 빠지든, 그 어떤 이유에서든 우리가 멈춰서면 그분께서는 우리가 앞으로 나아가도록 채찍질해주시지.

하지만 이걸 조심해. 의심이 지나쳐서 행동으로 옮기지 못해서도 안 돼. 내려야 할 결정이라면 꼭 내리도록 해. 올바른 결정을 내리고 있다고 자신하지 못하거나 확신이 서지 않더라도 말이야. 결정을 내릴 때 옛 독일 속담을 명심한다면 절대 실수하지 않을 거야. 달 전승을 통해 오늘날까지 전해내려오는 속담이지. 이 속담을 잊지만 않는다면 언제든 잘못된 결정을 바른 결정으로 바꿀 수 있어.

그 속담은 바로 이거야. 악마는 사소한 데 깃들어 있다."

위카가 갑자기 자동차 정비소 앞에 멈춰섰다.

"그런데 이 속담과 관련된 미신이 하나 있지. 도움은 우리가 필요할 때만 찾아온다는 거야. 차를 산 지 얼마 안 되긴 했지만, 악마는 사소한 데 깃들어 있는 법이지."

정비공이 가까이 다가오자 그녀는 차에서 내렸다.

"차 지붕이 고장났나요, 부인?"

위카는 그 질문에 굳이 대답하는 수고를 하지 않았다. 그녀는 차를 전체적으로 꼼꼼하게 점검해달라고 부탁했다. 길 건너편에 빵집이 하나 있었다. 정비공이 MG를 점검하는 동안 그들은 거기 가서 핫 초콜릿을 마시기로 했다.

"정비공을 잘 봐." 빵집 유리창을 통해 카센터 쪽을 바라보면서 위카가 말했다. 그는 차 엔진을 열어둔 채 그 앞에 꼼짝도 않고 서 있었다.

"그는 아무것도 건드리지 않고 있어. 그냥 보고만 있지. 이 일을 한 지 몇 년이 되다보니 이제는 차가 그들끼리만 통하는 언어로 말한다는 걸 알고 있는 거지. 지금 작동하고 있는 것은 그의 이성이 아니라 감각이야."

갑자기 정비공이 엔진의 한 부위 쪽으로 곧장 다가가더니 작업을 하기 시작했다.

"문제를 찾아낸 거야." 위카가 말을 이었다. "그와 기계 사이의 소통이 완벽하니까 전혀 시간을 낭비하지 않았지. 내가 아는 유능한 정비공들은 다 저와 같아."

'내가 아는 유능한 정비공들도 마찬가지인데.' 브리다가 생각했다. 하지만 그녀는 그들이 어디서부터 시작해야 좋을지 몰라 그렇게 행동하는 거라고 생각해왔다. 그들이 늘 제대로 된 출발점에서 시작한다는 것은 한 번도 눈여겨보지 않았던 것이다.

"저들이 태양의 지혜를 지녔다면, 왜 한 번도 우주에 관한 근본적인 질문을 던지려 하지 않을까요? 왜 그보다는 자동차를 고치거나 바에서 커피를 서빙하며 살기를 원하는 걸까요?"

"우리가 걸어야 할 길이 있고 그것에 전념한다고 해서, 우리가 다른 이들보다 우주를 훨씬 더 깊이 이해할 거라고 생각하는 근거는 무엇이지?

내겐 많은 제자들이 있어. 모두 다른 사람들처럼 평범한 이들이지. 영화를 보면서 울고, 아이들이 집에 늦게 들어오면 걱정을 하지. 죽음이 끝이 아니라는 것을 알면서도 말이야. 마법은 최고 지혜에 접근하는 여러 가지 방법 중 하나일 뿐이야. 인간이 어떤 일을 하든, 그것으로 그 지혜에 다다를 수 있어. 마음에 사랑을 담고 일한다면 말이지. 우리 마녀들은 세상의 영혼과 대화를 나눌 수 있고, 자기 소울메이트의 왼쪽 어깨 위에서 빛나는 점을 볼 수 있고, 촛불의 빛과 침묵을 통해 영원을 응시할 수 있지. 하지만 우리는 자동차 엔진이 어떤지는 몰라. 그래서 정비공들이 우리를 필요로 하듯, 우리도 그들을 필요로 하는 거야. 그들을 보이지 않는 세계로 인도해주는 다리는 자동차 엔진 안에 있고, 우리의 다리는 달의 전승 안에 있지. 둘 다 보이지 않는 세계와 이어주는 다리야.

당신 몫에 충실하도록 해. 다른 사람들의 몫에 대해서는 걱정하지 말고. 신께서는 그들에게도 말씀하시고, 그들도 당신만큼이나 이번 생의 의미를 찾고 있다는 것을 믿어."

"차는 문제 없습니다." 두 여자가 빵집에서 돌아오자 정비공이 말했다. "하지만 큰 문제가 생길 뻔했습니다. 냉각장치 파이프 하나가 터지기 직전이었거든요."

위카는 공임 때문에 조금 옥신각신하기는 했지만, 그 속담을 떠올리길 잘했다고 생각했다.

그들은 더블린의 커다란 상점가 중 한 군데로 쇼핑을 갔다. 수련의 일환으로 떠올린 쇼윈도의 가게도 바로 그곳에 있었다. 대화가 사적인 주제로 흘러갈 때마다 위카는 대충 얼버무리거나 답변을 회피했다. 하지만 가격이니 옷이니 가게 직원들의 퉁명스러움 같은 시시콜콜한 것들에 대해 이야기할 때는 더없이 활기찼다. 그날 오후 위카는 많은 돈을 썼는데, 그녀가 산 물건들은 대체로 그녀의 고급스럽고 까다로운 취향을 드러내 보였다.

브리다는 누군가에게 그가 사용하는 돈의 출처를 물어서는 안 된다는 걸 잘 알고 있었지만, 호기심이 너무 커서 하마터면 가장 기본적인 예의범절을 어길 뻔했다.

그들은 그 도시에서 가장 전통적인 일식당에서 회 한 접시를 앞에 두고 그날 오후를 마감했다.

"신이시여, 저희 양식을 축복하소서." 위카가 말했다. "우리 모두는 미지의 바다를 항해하는 선원입니다. 저희가 이 신비를 감내할 용기를 주소서."

"하지만 당신께서는 달 전승의 마스터시잖아요. 답을 알고 계시잖아요." 브리다가 말했다.

위카는 머나먼 눈길로 한동안 음식을 바라보았다.

"나는 현재와 과거를 여행할 줄 알아." 어느 정도 시간이 흐른 후 그녀가 말했다. "영(靈)들의 세계도 알고. 그 어떤 언어로도 설명할 길 없는 놀라운 힘들과 완벽한 합일을 이루어본 적도 있지. 어쩌면 인류를 이 순간까지 이끌고 온 길에 대한 은밀한 지식을 갖고 있다고도 할 수 있겠군.

하지만 이 모든 것을 알기 때문에, 내가 마스터이기 때문에 우리의 궁극적 존재 이유를 결코, 절대로 알아내지 못하리라는 걸 알고 있어. 우리는 우리가 어떻게, 어디서, 언제, 어떤 방법으로 여기 존재하게 되었는지는 알 수 있어. 하지만 '왜?'라는 질문은 언제나 답 없는 질문으로 남을 거야. 우주를 만든 위대한 건축가의 본래 목적은 그 혼자만 아는 거야. 그 외에는 누구도 알지 못해."

침묵이 방 안을 압도하는 듯했다.

"지금 우리가 이곳에서 식사하는 동안에도 지구상의 99퍼센트는 자기 나름의 방식으로 이 질문을 대면하고 있어. 왜 우리는 여기 있는 걸까? 많은 사람들은 종교나 유물론에서 그 답을 찾았다고 생각하지. 그리고 많은 사람들은 좌절하고는 그 의미를 이해하는 데 삶과

재산을 탕진해. 소수의 몇몇은 그 질문을 아무 대답 없이 넘겨버리고 결과나 인과 따위는 신경조차 쓰지 않고 순간순간을 살아가는 데 만족하고.

오로지 용감한 자들만이, 태양 전승과 달 전승을 아는 자들만이 그 질문에 대답할 수 있는 유일한 답을 알고 있어. 바로 '모르겠다'는 답을.

처음엔 그 답이 두려울 수도 있어. 대답 없이, 세상과 세상사와 우리 존재의 의미를 대면한다는 것에 어쩔 줄 몰라 할 수 있지. 하지만 일단 최초의 두려움만 넘기고 나면, 점차 가능한 그 유일한 해법에 익숙해지게 되지. 그 유일한 해법이란 바로 꿈을 좇는 거야. 언제나 자신이 원하는 대로 발걸음을 내디딜 용기를 가지는 것, 그것이야말로 우리가 신을 믿는다는 것을 증명할 유일한 방법이지.

그걸 받아들이고 나면, 생은 성스러운 의미를 띠게 되고, 우리처럼 평범한 존재였던 성모 마리아가 어느 날 오후 어느 낯선 이가 찾아와 무언가를 요구했을 때 경험한 것과 똑같은 감동을 경험할 수 있어. 성모께서는 응답하셨지. '그대로 내게 이루어지소서.' 그분께서는 신비를 받아들이는 것이야말로 인간 존재가 위대함을 경험할 수 있는 최상의 방법이라는 걸 이해하셨던 거야."

위카는 한동안 아무 말이 없더니 다시 포크와 나이프를 들고 먹기 시작했다. 브리다는 자신이 그녀 곁에 있다는 것에 뿌듯함을 느끼며 그녀를 바라보았다. 이제는 위카가 돈을 얼마나 버는지, 누군가를 사랑하는지, 남자한테 질투를 느껴보았는지 같은, 절대 묻지도 못할 질문들은 더이상 생각하지 않기로 했다. 그녀는 진정한 현자들의 영혼이 얼마나 위대한지를 생각했다. 존재하지도 않은 답을 찾아 평생을 보낸 현자들. 그리고 답이 없다는 것을 알고도 거짓 설명을 만들어내지 않은 현자들. 그들은 자신들로서는 불가해한 우주 안에서 겸허하게 살아가기로 한 것이었다. 하지만 그들은 동참할 수 있었다. 그들 자신의 욕망, 그들 자신의 꿈을 좇는 유일한 방법으로. 그렇게 함으로써 인간은 신의 도구가 될 수 있기 때문이었다.

"그렇다면 답을 찾아가는 과정은 무슨 의미가 있을까요?" 브리다가 물었다.

"답을 찾는 것이 아니야. 받아들이는 거지. 그러면 삶은 훨씬 강렬해지고 환희로 가득 차게 돼. 삶의 매 순간순간에, 우리가 내디디는 발걸음 하나하나에 우리 개인을 넘어서는 훨씬 커다란 의미가 담겨 있다는 걸 이해하기 때문이지. 우리는 시간과 공간 어딘가에 이 질문에 대한 답이 있다는 것을 깨달았어. 우리가 여기 존재하는 이유가 있다는 것을 깨달았다고. 그것으로 족해.

우리는 믿음을 갖고 어두운 밤 속으로 침잠하고, 고대 연금술사들이 '자아의 신화'라 부르는 것을 완수하고, 우리가 받아들이든 말든 늘 우리를 이끌어주는 손이 있음을 믿고 매 순간 우리 자신을 온전히 내맡기는 거지."

그날 밤 브리다는 몇 시간 동안 음악을 들으며 살아 있다는 기적에 온전히 자신을 내맡겼다. 그녀는 좋아하는 작가들을 떠올렸다. 그리고 그들 중 한 사람의 단순한 문장 하나를 통해 그녀는 지혜를 찾아나설 믿음을 가지게 되었다. 윌리엄 블레이크라는 영국 시인이었다. 수세기 전, 그는 이렇게 썼다.

지금 증명된 것은 예전에 누군가 상상만 했던 것이다.

의식을 행할 시간이었다. 그녀는 집 안의 작은 제단 앞에 앉아 몇 분간 초의 불꽃을 가만히 바라보았다. 그렇게 촛불을 응시하면서 그녀는 로렌스와 암석들 사이에서 사랑을 나눴던 그날 오후로 되돌아갔다. 구름처럼 높게, 파도처럼 나지막하게 날아다니는 갈매기들이 보였다.

물고기들은 물을 것이다. 갈매기들은 어떻게 저렇게 날아다닐 수 있을까 하고. 그 신비로운 피조물들은 물고기들이 사는 세계로 풍덩 빠졌다가, 들어왔을 때만큼이나 순식간에 사라져버린다.

새들 역시 물을 것이다. 자신들이 먹이로 취하는 물고기들이 저 파도 아래 물속에서 어떻게 숨을 쉴 수 있는지.

새들이 존재하고, 물고기들이 존재한다. 가끔 그들의 우주는 조우하지만, 서로의 질문에 대답하는 것은 불가능하다. 하지만 두 우주는 질문들을 품고 있고, 그 질문들의 대답은 존재한다.

브리다는 자기 앞의 촛불을 바라보았다. 그녀 주변에 신비로운 기운이 형성되기 시작했다. 다른 날에도 그랬지만 이날 밤은 무언가 다른 강렬함이 있었다.

그녀가 질문을 할 수 있다면, 그것은 다른 우주 어딘가에 답이 있기 때문이다. 그녀는 모르더라도 다른 누군가는 알고 있다. 이제는 삶의 의미를 이해할 필요가 없다. 그것을 아는 '누군가'와 만나는 것으로 충분했다. 그리고 그의 품 안에서 어린아이처럼 잠들리라. 그녀보다 강인한 이가 모든 악과 위험으로부터 지키리라는 것을 알고 있으니.

의식을 마친 후, 그녀는 이만큼 오게 된 것에 감사하며 짧은 기도를 올렸다. 그녀가 마법에 대해 첫 질문을 던졌을 때, 고맙게도 그는 우주에 대해 설명하지 않았다. 오히려 그녀로 하여금 숲속의 어둠 속에서 하룻밤을 보내게 했다.

그녀는 그곳으로 가 그가 가르쳐준 모든 것에 감사를 표해야 했다.

그를 만나러 갈 때마다 그녀는 무언가를 탐색중이었다. 그리고 찾던 것을 발견하면 인사도 없이 곧장 떠나왔다. 하지만 그는 다음 춘분 때 통과해야 할 문 앞으로 그녀를 데려다준 사람이었다. 적어도 그에게 '감사하다'는 말 정도는 해야 했다.

아니다. 그를 사랑하게 될까봐 두렵지는 않았다. 이미 로렌스의 눈에서 자기 영혼의 숨겨진 부분을 읽었으니까.

옷 꿈을 꾸게 될지에 대해서는 의심할 수 있었지만, 로렌스와의 사랑에 관해서라면 그녀는 완벽하게 확신할 수 있었다.

"제 초대를 받아주셔서 감사합니다." 의자에 앉으면서 브리다는 마법사에게 말했다. 그들은 그 마을의 하나뿐인 바에 앉아 있었다. 전에 그녀가 그의 눈에서 기묘한 광채를 보았던 그곳이었다.

마법사는 아무 말도 하지 않았다. 그는 그녀의 에너지가 완전히 달라졌음을 알아챘다. 힘을 일깨우는 데 성공한 것이다.

"숲속에 혼자 남겨진 날, 저는 스스로와 약속했어요. 당신께 감사하기 위해, 혹은 저주하기 위해 돌아오겠다고. 그리고 제 길을 찾으면 그때 다시 오겠다고 약속했지요. 하지만 약속한 것들 중 어느 하나도 지키지 못했어요. 저는 언제나 도움을 찾아 이곳에 왔고, 마스터께서는 당신을 필요로 하는 저를 한 번도 홀로 버려두지 않으셨죠. 주제넘은 짓인지 모르겠지만 당신이 신의 도구로서 행동하셨다는 걸 말씀드리고 싶었어요. 그래서 오늘 밤 초대하고 싶었고요."

그녀가 평소처럼 위스키 두 잔을 주문하려는데, 마법사가 일어나

직접 바에 가더니 와인 한 병과 생수 한 병, 유리잔 두 개를 들고 돌아왔다. 그가 말했다.

"고대 페르시아에서는 두 사람이 함께 술을 마실 때 한 사람을 그날 밤의 왕으로 정했네. 대개는 술을 사는 사람이 그날 밤의 왕이 되지."

그는 자신의 목소리에 행여나 떨림이 없는지 확신할 수 없었다. 그는 사랑에 빠진 남자였고, 브리다의 에너지는 변해 있었다.

그는 와인과 생수를 그녀 가까이 놓았다.

"대화의 분위기를 결정하는 것은 그날 밤의 왕이야. 첫 잔에 와인보다 물을 더 많이 따르면 진지한 이야기를 나누고 싶다는 뜻이네. 물과 와인의 양이 똑같으면 진지한 이야기와 재미있는 이야기를 반반씩 하자는 것이고. 잔을 와인으로 가득 채우고 물을 몇 방울만 떨어뜨리면, 느긋하고 유쾌한 밤이 되리라는 것이지."

브리다는 두 잔에 와인을 가득 채운 후 물을 한 방울씩 떨어뜨렸다.

"감사하다는 말씀을 드리러 왔어요." 브리다가 말했다. "인생이 믿음을 가지고 행동하는 것이라는 것을 가르쳐주셔서, 그리고 제게 그것을 좇을 자격이 있다고 알려주셔서 감사합니다. 제가 선택한 길을 가는 데 많은 도움이 되었어요."

그들은 첫 잔을 한 모금에 모두 털어넣었다. 마법사는 긴장해서였고, 브리다는 편안해서였다.

"가벼운 얘기만 했으면 좋겠는데, 괜찮죠?" 브리다가 다시 물었다.

마법사는 그녀가 밤의 왕이니, 어떤 대화를 할지 정하라고 했다.

"당신의 사적인 부분들에 대해 궁금해요. 옛날에 위카와 사랑하는 사이였나요?"

그가 고개를 끄덕였다. 브리다는 설명할 수 없는 질투를 느꼈지만 그것이 그에 대한 것인지, 그녀에 대한 것인지 알 수 없었다.

"하지만 우리는 함께할 생각은 한 번도 하지 않았어." 그가 말을 이었다. "우리 둘은 전승을 아는 사람들이었고, 자신이 상대의 소울메이트가 아니라는 것을 알고 있었지."

'빛나는 점을 알아보는 법 같은 건 배우고 싶지 않아.' 브리다는 불가피한 일임을 알면서도 그렇게 생각했다. 마법사와 마녀 사이의 사랑은 그런 식으로 흘러가는 법이리라.

브리다는 조금 더 마셨다. 그녀는 자기 목표에 점점 가까워지고 있었다. 춘분까지는 얼마 남지 않았고, 조금 풀어져도 상관없었다. 적절한 주량을 넘기지 않도록 자신을 절제한 지도 꽤 오래 되었다. 하지만 이제는 옷 꿈만 꾸면 된다.

그들은 계속 얘기를 나누며 술을 마셨다. 브리다는 다시 위카 이야기로 돌아가고 싶었지만, 마법사를 편안하게 해주어야 했다. 그녀는 언제나 두 잔 가득 따랐고, 이곳처럼 작은 마을에 사는 어려움에 대해 한창 이야기를 나누는 중에 와인이 바닥났다. 이곳 사람들은 마법사를 악마와 연관 짓는다고 했다.

브리다는 자신이 그에게 중요한 사람처럼 여겨진다는 데 대해 기뻤다. 그는 분명 무척 고독하리라. 어쩌면 그 마을에서는 예의상 하는 말 외에는 그에게 말을 건네는 사람이 아무도 없는지도 모른다. 그들은 새 병을 땄고, 그녀는 마법사가, 신과 하나가 되기 위해 종일 숲속에서 지내는 남자가 술을 마시고 취할 수도 있다는 것에 놀랐다.

두번째 병도 다 비웠을 때, 이미 그녀는 자기 앞에 있는 남자에게 고마운 마음을 전하기 위해 여기 왔다는 것도 잊어버렸다. 그제야 깨달은 것이다. 그와의 관계가 늘 베일에 싸인 도전 같다는 것을. 그녀는 그를 보통 사람으로 보고 싶지 않았지만, 지금은 위험하게도 점점 더 그를 그렇게 보기 시작했다. 나무 꼭대기의 움막까지 그녀를 이끈 현자, 몇 시간 동안 저녁노을을 바라보며 명상에 잠기게끔 한 현자의 이미지가 그녀에게는 더 좋은데도.

그녀는 그가 어떻게 반응하는지 보고 싶어서 위카 이야기를 꺼냈다. 위카는 훌륭한 마스터이고, 지금까지 자신이 알아야 할 모든 것을 가르쳐주었는데, 그 방법이 얼마나 능란한지, 마치 이미 알고 있는 것을 배우고 있는 듯한 느낌을 받았다고.

"하지만 자네는 언제나 이미 알고 있었어." 마법사가 말했다. "그것이 태양 전승이지."

'그는 위카가 훌륭한 마스터라는 걸 인정하지 않는 거야.' 브리다는 생각했다. 그녀는 와인을 한 잔 더 마신 후 계속 위카에 대해 이야기했다. 하지만 마법사는 더이상은 아무런 반응도 보이지 않았다.

"두 분이 사귀었을 때의 이야기를 듣고 싶어요." 그녀는 그를 도발할 수 있을지 알아보려고 말했다. 사실은 알고 싶지 않았다. 그러고 싶은 마음이 전혀 없었다. 하지만 반응을 이끌어내기 위해 가장 적당한 방법이었다.

"그저 풋사랑이었지. 우리는 비틀스와 롤링스톤스를 사랑하는, 한계를 모르는 세대였지."

그 말을 듣고 그녀는 깜짝 놀랐다. 술 때문에 긴장이 풀어지기는 커녕 신경만 더 곤두섰다. 언제나 그게 궁금했는데, 막상 대답을 들은 지금은 별로 기분이 좋지 않았다.

"우리는 그 시절에 만났어." 그는 아무것도 눈치채지 못하고 말을 이어갔다. "우리 둘은 모두 길을 찾고 있었고, 우리의 두 길이 만나 우연히 같은 마스터에게 배움을 구하러 가게 되었지. 우리 두 사람은 함께 태양 전승과 달 전승을 배웠고, 각기 자기 방식으로 마스터가 되었어."

브리다는 계속 그 이야기를 하기로 마음먹었다. 와인 두 병이면 처음 만나는 사람들도 어릴 적 친구처럼 느껴진다. 와인은 사람들에게 용기를 준다.

"그런데 왜 헤어진 거예요?"

이번에는 마법사가 와인을 한 병 더 주문할 차례였다. 그녀는 그것을 알아차리고 더욱 긴장했다. 그가 위카를 여전히 사랑한다는 걸 알게 된다면 괴로울 것 같았다.

"우리는 소울메이트에 대해 배웠기 때문에 헤어지게 되었어."

"환하게 빛나는 점이나 눈의 광채 같은 것을 배우지 않았다면 지금도 함께하고 있을까요?"

"모르지. 다만 내가 아는 것은, 우리가 계속 함께했다면 그것이 우리 둘 다에게 절대로 좋지 않았으리라는 것이야. 자신의 소울메이트를 만나야만 생과 우주를 이해할 수 있으니까."

브리다는 무슨 말을 해야 좋을지 몰라 한참을 가만있었다. 침묵을 깬 사람은 마법사였다.

“자, 나가지.” 세번째 병은 제대로 입도 대지 않았는데 그가 말했다. “얼굴에 바람이랑 찬 공기 좀 쐬어야겠네.”

‘취했나봐.’ 그녀가 생각했다. ‘그리고 두려워하고 있어.’

그녀는 우쭐해졌다. 그녀는 그보다 술이 더 셌고, 자제력을 잃을까 전혀 두려워할 필요가 없었다. 그날 밤은 즐기러 나온 거였다.

“조금만 더 있으면 안 될까요? 오늘 밤은 제가 왕이잖아요.”

마법사는 한 잔을 더 마셨다. 하지만 이미 주량을 넘겼다는 걸 알고 있었다.

“저에 대해서는 아무것도 묻지 않으시네요.” 그녀가 도전적으로 말했다. “궁금하지 않으세요? 아니면 마스터의 능력으로 다 ‘보실 수’ 있는 건가요?”

순간 그녀는 자신이 너무 나갔다 싶었지만, 개의치 않기로 했다. 다만 마법사의 눈이 변했다는 것, 완전히 다른 광채를 띠고 있다는 것만 느껴졌다. 브리다의 마음속에서 뭔가가 열리는 것 같았다. 아니, 더 자세히 말하면 어떤 벽이 허물어져버린 느낌, 그리고 앞으로는 모든 것을 허용할 거라는 느낌이었다. 그녀는 그들의 마지막 만남을 떠올렸다. 그의 곁에 머물고 싶었던 자신의 마음과, 그녀를 대하던 그의 차가운 태도를. 그제야 그녀는 깨달았다. 오늘 자신이 이곳에 온 것은 고맙다는 말을 하기 위해서가 아니라는 것을. 그녀는 복수를 하기 위해 여기 온 것이었다. 자신이 사랑하는 다른 남자와 함께 그 ‘힘’을 발견했다고 마법사에게 말하기 위해.

‘왜 이 사람한테 복수하고 싶은 거지? 왜 이 사람한테 화가 나는 거지?’ 하지만 술기운 때문에 그녀는 확실한 대답을 찾을 수 없었다.

마법사는 자기 앞에 있는 어린 여자를 바라보았다. '능력'을 과시하고 싶다는 욕망이 머릿속을 맴돌았다. 아주 오래전, 오늘 밤과도 같았던 어느 날, 그의 인생이 바뀌었다. 비틀스와 롤링스톤스가 활동하던 시절이었다. 하지만 믿지 않으면서도 미지의 힘을 추구하는 사람들 또한 존재하던 시절이었다. 그들은 힘 자체보다 자신들이 더 강인하다고 생각하면서 마법의 힘을 사용했다. 언제든 지겨워지면 전승을 떠날 수 있다고 확신하던 이들. 그 역시 그런 사람들 중 한 명이었다. 그는 달의 전승을 통해 성스러운 세계에 입문했고, 의식들을 배우고, 보이는 세계와 보이지 않는 세계를 잇는 다리를 건넜다.

처음에는 누구의 도움도 받지 않고 오직 책을 통해 그 힘들을 알게 되었다. 그러고 나서 마스터를 만났다. 이미 첫 만남에서 마스터는 그에게 태양 전승을 배우는 편이 한결 수월할 거라고 말했지만 마법사는 그러고 싶지 않았다. 달 전승이 훨씬 매력적이었다. 달 전승은 오래된 의식들과 시간의 지혜를 간직하고 있었다. 마스터는 그에게 달 전승을 가르쳐주었다. 어쩌면 그 길이 태양 전승으로 이끌어줄지도 모른다면서.

그 시절 그는 자기 자신과 자신의 삶, 그리고 자신이 성취할 것들에 대해 언제나 확신에 가득 차 있었다. 미래는 전도양양했고, 자신의 목적을 이루기 위해 달 전승을 이용할 생각이었다. 그럴 권리를 얻기 위해서는 우선 마스터가 되기 위해 자기 자신을 바쳐야 했다. 그다음으로는, 달 전승을 가르치는 마스터들에게 부여되는 단 한 가지 제약을 절대로 어겨서는 안 되었다. 결코 남의 의지를 바꿔서는 안 된다는 제약이었다. 그는 마법에 대해 자신이 알고 있는 지식을 이용해 세상에서 자기 길을 개척해나갈 수 있었다. 하지만 앞을 막고 선 사람을 방해가 된다고 제거하거나, 자기 길을 따르라고 누군가에게 강요할 수 없었다. 그것은 유일한 금기이자, 유일한 금단의 열매였다.

그리고 모든 것이 순조로웠다. 그가 마스터의 한 여제자를 사랑하고, 그녀가 그를 사랑하게 될 때까지는. 두 사람은 전승을 아는 이들이었다. 그는 자신이 그녀의 남자가 아니라는 것을 알고 있었고, 그녀 역시 자신이 그의 여자가 아니라는 것을 알고 있었다. 그런데도 그들은 때가 되면 인생이 알아서 자신들을 갈라놓을 거라 믿으며 서로에게 자신을 내맡겼다. 하지만 그 사랑은 사그라지기는커녕, 그들은 매 순간이 마지막인 양 순간순간을 불태웠다. 끝나리라는 것을 알고 있었으므로, 오히려 그들의 사랑은 영원히 변치 않을 것처럼 강렬했다.

그러던 어느 날, 그녀가 다른 남자를 만나게 되었다. 전승도 모르고, 그녀의 소울메이트임을 알려주는 어깨 위의 빛나는 점이나 눈 속의 광채도 없는 남자였다. 하지만 사랑은 이유가 없는 것이기에 그녀는 그와 사랑에 빠졌다. 그녀 쪽에서 볼 때, 마법사와의 사랑은 끝에 다다른 셈이었다.

그들은 싸우고 또 싸웠고, 그는 그녀에게 매달리고 애원했다. 그는 사랑에 빠진 사람이 감내할 수 있는 모든 굴욕을 참아냈다. 그리고 사랑을 통해 배우리라고 상상조차 못한 것들을 배우게 되었다. 바로 기다림과 두려움, 받아들임이었다. '그의 어깨에서는 빛이 나지 않아. 네가 나한테 말했잖아.' 그는 설득하려 했지만 그녀는 듣지 않았다. 그녀는 자신의 소울메이트를 만나기 전에 남자들과 세상을 경험해보고 싶었다.

마법사는 자신의 고통에 한계를 정했다. 거기에 다다르면 그 여자를 잊기로 했다. 그리고 지금은 기억나지 않는 어떤 이유로, 어느 날 그는 한계에 이르렀다. 하지만 그녀를 잊는 대신, 마스터의 말이 옳았음을 깨달았다. 감정이란 야수와 같아서, 그것을 제어하기 위해서는 지혜가 필요했다. 달 전승을 공부해온 수년간의 세월도, 그가 배운 마음을 다스리는 법도, 지금 이 자리에 이르기까지 감수해야 했던 그 어떤 엄격한 수련도 그의 열정을 이기지는 못했다. 열정은 눈먼 힘이었고, 그 열정은 그의 귀에 대고 끊임없이 속삭였다. 그녀를 잃을 수는 없다고.

그녀의 뜻을 꺾기 위해 할 수 있는 것은 아무것도 없었다. 그녀도 그와 같은 마스터였고, 여러 생을 윤회하면서 자신의 업(業)이 무엇인지 알고 있었다. 몇몇 생에서 그녀는 인정을 받아 영광을 누렸고, 몇몇 생은 불[火]과 고통으로 점철되어 있었다. 그녀는 자신을 지켜낼 줄 알았다.

한편 이런 격렬한 열정의 싸움에 얽혀든 삼자가 있었다. 운명이라는 신비로운 그물에, 마법사나 마녀들조차 이해하지 못하는 거미줄에 얽혀든 남자. 마법사와 마찬가지로 그녀와 사랑에 빠지고, 그녀를 행복하게 해주고 싶고, 그녀에게 최선을 다하고 싶은 평범한 남자. 불가사의한 신의 섭리로, 달 전승을 아는 남자와 여자의 격렬한 싸움 한복판에 내동댕이쳐진 평범한 남자.

어느 날 밤, 마법사는 더는 고통을 참지 못하고 금단의 열매를 베어물고 말았다. 시간의 지혜가 가르쳐준 힘과 지식을 이용해, 자기가 사랑하는 여자에게서 그 남자를 떼어내버린 것이다.

그녀가 그 사실을 아는지는 지금도 모른다. 그녀는 자신이 이룬 새로운 정복에 그새 싫증을 느끼던 차라 대수롭지 않게 여겼을 수도 있었다. 하지만 그의 마스터는 알고 있었다. 그의 마스터는 언제나 모든 것을 알고 있었고, 달 전승은 흑마법을 사용한 입문자들에게 가혹했다. 특히나 인간이 가장 소중하게 생각하고, 상처받기 쉬운 감정인 사랑에 대해서는 더더욱.

마스터와 대면한 순간, 마법사는 자신이 한 성스러운 맹세가 절대 깨서는 안 되는 것이었음을 깨달았다. 자신이 정복해 다루고 있다고 믿었던 힘들은 그보다 훨씬 강했다. 그는 자신이 선택한 길 위에 서 있었지만, 그것이 여느 길과는 다른 길이라는 걸 깨달았다. 절대로 어길 수가 없는 길이었다. 그는 이번 생에서는 그 길에서 절대 멀어질 수 없음을 깨달았다.

이제 잘못을 저질렀으니 대가를 치러야 했다. 대가는 가장 잔인한 독약, 즉 고독을 마시는 것이었다. 그가 마스터로 거듭났음을 사랑이 인정해줄 때까지. 그러면 그가 상처입혔던 그 사랑이 마침내 그에게 그의 소울메이트를 보여주며 다시 그를 자유롭게 해줄 것이었다.

"저에 대해서는 아무것도 묻지 않으시네요. 궁금하지 않으세요? 아니면 마스터의 능력으로 다 '보실 수' 있는 건가요?"

그의 지난 이야기가 눈앞을 스치고 지나간 것은 찰나와도 같은 짧은 순간이었다. 그러나 태양 전승에서 그러듯 자연스럽게 흘러가도록 내버려둘지, 아니면 당신의 어깨 위에 밝게 빛나는 점이 있다고 말하며 운명에 개입해야 할지 결정을 내리기에는 충분한 시간이었다.

브리다는 마녀가 되고 싶어했지만 아직은 그 목표에 다다르지 못한 상태였다. 그는 나무 꼭대기의 움막을 떠올렸다. 그곳에서 빛나는 점에 대해 말할 뻔했다. 그리고 지금 또다시 그 유혹을 느꼈다. 사소한 곳에 악마가 도사리고 있음을 잊고 마법사가 칼을 내려놓았기 때문이었다. 인간은 누구나 자기 운명의 주인이다. 그리고 언제나 같은 실수를 저지른다. 그리고 자신이 열렬하게 원하는 모든 것들로부터, 그리고 삶이 너그럽게 그들 앞에 놓아주는 것들로부터 언제나 도망

친다.

그러지 않는다면, 신의 손을 잡고 신의 섭리에 자신을 내맡긴 채, 그것이 때가 되면 이루어지리라는 것을 받아들이고 자신의 꿈을 위해 싸워나갈 수도 있으리라.

"이제 밖으로 나가지." 마법사가 다시 말했다. 그리고 브리다는 그가 진지하게 말하고 있다는 것을 알았다.

그녀는 자신이 계산하겠다고 고집을 부렸다. 그날 밤의 왕은 그녀였다. 그들은 외투를 걸치고 바깥으로 나왔다. 이제는 그렇게까지 춥지 않았다. 몇 주만 있으면 봄이었다.

그들은 함께 버스 정거장까지 걸어갔다. 버스 한 대가 몇 분 안으로 출발하기 위해 준비중이었다. 추위에 떠는 사이, 브리다의 초조감은 설명할 수 없을 지독한 혼란으로 바뀌었다. 이 버스를 타고 떠나고 싶지 않았다. 모든 것이 어긋났고, 그날 밤의 중요 목적을 달성하는 데 완전히 실패한 기분이었다. 떠나기 전에 바로잡아야 할 것 같았다. 그녀는 감사의 표시를 하러 와놓고 전과 똑같이 행동하고 있었다.

브리다는 속이 울렁거린다면서 버스에 오르지 않았다.

십오 분이 흘렀고, 다음 버스가 도착했다.

"지금은 가고 싶지 않아요." 그녀가 말했다. "술 때문에 몸이 안 좋아서가 아니에요. 제가 다 망쳐놓아서 그래요. 감사의 마음도 제대로 전하지 못했어요."

"이 버스가 오늘 밤의 막차야." 마법사가 말했다.

"나중에 택시를 타면 돼요. 비싸도 할 수 없죠."

막상 버스가 떠나자 브리다는 남은 것을 후회했다. 혼란스러웠다. 자신이 진심으로 뭘 원하는지 알 수가 없었다. '취한 거야.' 그녀가 생각했다.

"좀 걸어요. 술 좀 깨고 싶어요."

그들은 텅 빈 마을을 거닐었다. 창문의 불은 모두 꺼져 있고 가로등 불빛만 빛나고 있었다. 이건 아니야. 나는 로렌스의 눈에서 광채를 보았어. 그런데 이곳에서 이 남자와 함께 있고 싶어하다니. 자신이 그저 평범하기 짝이 없는 변덕스러운 여자애처럼 느껴졌다. 마법을 배우고 그것을 경험할 자격이 없는 것만 같았다. 그녀는 자신이 부끄러웠다. 와인 몇 잔과 로렌스, 소울메이트, 그리고 달 전승에서 배운 모든 것이 이제는 부질없게 느껴졌다. 어쩌면 내 착각일 수도 있어, 로렌스의 눈에서 본 광채는 태양 전승에서 말하는 것과 정확히 일치하지 않을 수도 있어, 그녀는 잠시 생각했다. 하지만 그것은 자신을 기만하는 것이었다. 자기 소울메이트의 눈에서 빛나는 광채를 혼동하는 사람은 없다.

붐비는 극장에서 로렌스를 만났더라면, 그와 한 번도 말해본 적이 없는 사이였더라면, 그들의 눈이 마주친 순간 그녀는 그가 자기 인생의 남자임을 확신했으리라. 그리고 어떻게든 그에게 접근했을 것이고, 그는 그녀를 받아들였으리라. 전승은 결코 틀리는 법이 없으니까. 두 소울메이트는 결국 만나게 되어 있었다. 소울메이트에 대해 알기 전부터 이미 그녀는 말로는 설명되지 않는 것, 이른바 '첫눈에 반한 사랑'에 관해 들은 적이 있었다.

누구나 마법의 힘을 깨우지 않고도 그 광채를 알아볼 수 있다. 그녀는 그 존재를 알기 전에도 그 광채를 알아보았다. 예컨대, 맨 처음 마법사와 함께 바에 간 날 오후, 그의 눈에서 그 광채를 보지 않았던가.

브리다는 갑자기 멈춰섰다.

'너무 마신 거야.' 그녀는 다시 생각했다. 그런 생각은 얼른 잊어야 했다. 택시를 타고 돌아갈 돈이 있는지 확인해야 했다. 그것이야말로 이 순간 중요한 일이었다.

하지만 그녀는 마법사의 눈에서 광채를 보았다. 그가 그녀의 소울메이트임을 알리는 광채를.

"안색이 창백하군." 마법사가 말했다. "술을 과하게 마셨나보네."

"곧 괜찮아질 거예요. 잠시 앉았다 가요. 그럼 좀 나아질 거예요. 그러고 나서 집에 갈게요."

그들은 벤치에 앉았고, 그녀는 호주머니를 뒤져 돈을 찾았다. 그곳에서 곧장 일어나 택시를 잡아타고 영원히 떠날 수도 있었다. 그녀에겐 마스터인 위카가 있었고, 그녀는 자신이 어떤 길을 가야 할지 알고 있었다. 그리고 자신의 소울메이트가 누구인지도 알았다. 그녀가 벤치에서 일어나 가겠다고 결심한다면, 그것은 신께서 운명 지우신 임무를 수행하는 것일 터였다.

하지만 그녀는 스물한 살이었다. 스물한 살의 나이에 그녀는 한 생에서 두 사람의 소울메이트를 만날 수도 있음을 이미 알고 있었다. 그리고 그 결과가 고통과 아픔이라는 것도.

하지만 어떻게 거기서 도망칠 수 있겠는가.

"집에 안 갈래요." 그녀가 말했다. "여기 있을래요."

마법사의 두 눈이 광채로 빛났다. 조금 전까지만 해도 희망이었던 빛이 이제 확신으로 바뀌었다.

그들은 계속 거닐었다. 마법사는 브리다의 후광이 몇 번 그 색깔을 바꾸는 것을 보았고, 그녀가 제대로 된 길을 가고 있기를 간절히 바랐다. 그 순간 자기 소울메이트의 영혼이 천둥과 지진으로 뒤흔들리고 있음을 알았지만, 그것은 변화의 한 과정이었다. 그렇게 대지와 별과 인간은 변화했다.

그들은 마을을 벗어나 들판 한복판에 이르렀다. 그들이 늘 만나던 산 쪽으로 향하던 중, 브리다가 잠깐 멈추자고 했다.

"이쪽으로 가요." 그녀가 밀밭으로 난 길로 접어들면서 말했다. 자기가 왜 이러는지는 그녀 자신도 몰랐다. 단지 자연의 힘, 이 세상이 창조되었을 때부터 지구상의 아름다운 곳이라면 어디에나 깃들어 있는 선한 영들의 힘이 필요할 것 같아서였다. 하늘에서 빛나는 커다란 달이 오솔길과 주변의 들판을 환히 비추고 있었다.

마법사는 아무 말 없이 브리다를 따라갔다. 마음속 깊이 그는 신께 감사드렸다. 자신을 믿어준 것에 대해, 똑같은 실수를 반복하지 않게 해준 것에 대해. 기도에 대한 응답이 조금만 늦었어도 똑같은 실수를 저지를 뻔했다.

그들은 달빛을 받아 밀밭의 은빛 바다로 접어들었다. 브리다는 딱히 목적지도 없이, 그저 발길이 닿는 대로 걸었다. 그녀 안에서 어떤 목소리가 속삭이고 있었다. 더 멀리 나아가라고, 그녀가 선조들 못지않게 강인한 여자라고, 선조들이 시간의 지혜로 그녀의 발걸음을 이끌고 보호하고 있으니 걱정하지 말라고.

그들은 밀밭 한복판에서 멈춰섰다. 그들은 산들에 둘러싸여 있었다. 그 산 위 어딘가에 그들이 일몰을 감상했던 바위와, 가장 높은 나무 위의 사냥꾼 움막과, 브리다가 두려움과 어둠에 맞서 하룻밤을 지새웠던 장소가 있었다.

'나는 나 자신을 내맡겼어.' 그녀가 생각했다. '나 자신을 맡겼고, 내가 보호받고 있다는 걸 알아.' 그리고 달 전승의 증표로서 그녀 집에 항상 밝혀두는 촛불을 마음속으로 그려보았다.

"여기가 좋겠어요." 그녀가 멈춰서며 말했다.

그리고 나뭇가지 한 개를 들어, 위카가 알려준 성스러운 이름들을 되뇌며 바닥에 커다란 원을 그렸다. 그녀는 의식용 단검도, 다른 성스러운 물건들도 가지고 있지 않았다. 하지만 그녀의 조상들이 그곳에 함께하고 있었다. 그리고 그들은 화형대에서 죽지 않기 위해 부엌에 있는 물건들을 정화해 사용했다고 말하고 있었다.

"세상 모든 것은 성스럽죠." 그녀가 말했다. 그녀가 들고 있는 나뭇가지도 성스러웠다.

"그래." 마법사가 대답했다. "세상 만물은 모두 성스럽지. 그리고 모래알갱이 하나도 우리를 보이지 않는 세계로 인도하는 다리가 될 수 있어."

"하지만 이 순간, 보이지 않는 세계로 이어지는 다리는 제 소울메이트예요." 브리다가 대답했다.

남자의 두 눈에 눈물이 차올랐다. 신은 공정했다.

두 사람은 원 안으로 들어섰고, 그녀는 의식에 따라 원을 닫았다. 머나먼 옛날부터 마법사와 마녀들이 사용해온 보호방식이었다.

"친절하게도 당신께서는 당신 세계를 보여주셨어요." 브리다가 말했다. "제가 당신 세계의 일부임을 보여드리기 위해 지금 이 의식을 거행합니다."

그녀는 달을 향해 두 팔을 들어올리고 자연에 깃든 마법의 정기들을 불러모았다. 숲에 갔을 때 위카가 이렇게 하는 것을 자주 봤는데, 이제 그녀 자신이 직접 하고 있었다. 잘못될 것은 아무것도 없다는 확신이 들었다. 마법의 정기들이 말하고 있었다. 아무것도 더는 배울 필요가 없다고, 마녀로 살았던 그 오랜 세월과 많은 생들을 기억하는 걸로 충분하다고. 그녀는 풍성한 수확을 거둘 수 있기를, 이 들판이 언제나 기름지기를 기원했다. 그녀가 거기 있었다. 오랜 옛날, 땅의 지식과 씨앗의 변모를 하나로 아우르고, 그녀의 남자가 그 땅을 경작하는 동안 기도를 올렸던 여사제가 거기 있었다.

마법사는 브리다가 첫걸음을 떼는 것을 지켜만 보았다. 결정적 순간이 오면 자신이 주도권을 넘겨받아야겠지만, 이 과정의 문을 연 사람이 그녀임을 시간과 공간에 새겨두어야 했다. 그 순간, 다음 생을 기다리며 영계를 떠도는 그의 마스터도 그 밀밭에 와 있는 게 분명했다. 그의 마스터는 마법사가 마지막 유혹을 느끼던 바에도 와 있었다. 그는 자신의 제자가 고통을 통해 성숙해지고 있음에 만족하리라. 마법사는 침묵을 지키며 브리다가 외우는 기도 소리에 귀를 기울였다. 이윽고 그녀가 멈췄다.

"제가 왜 이러는지 모르겠어요. 하지만 저는 제 몫을 다했어요."

"이제부터는 내가 이어서 하겠네." 마법사가 말했다.

그리고 그는 북쪽을 향해 돌아서더니, 이제는 전설과 신화 속에서나 존재하는 새들의 울음소리를 흉내냈다. 이것이 브리다의 의식에 부족했던 유일하고도 작은 부분이었다. 위카는 훌륭한 마스터였고 브리다에게 거의 모든 것을 가르쳐주었지만, 마무리 부분은 아직 가르쳐주지 않은 것이었다.

성스러운 펠리컨과 불사조의 소리로 이루어진 기도가 울려퍼지자, 원 안이 신비로운 빛으로 가득 찼다. 주위를 밝히지 못했지만 그럼에도 그것은 빛이었다. 마법사는 자신의 소울메이트를 바라보았다. 그곳에 그녀가 있었다. 그녀의 영원한 육신은 내면에서부터 환히 빛났고, 그녀의 배꼽과 이마에서는 금빛 오로라와 빛줄기들이 뻗어 나왔다. 그는 그녀 역시 같은 것을 보고 있음을 알았다. 그녀가 그의 어깨 위에서 빛나는 점을, 아까 마신 와인 때문에 살짝 모양이 변형된 그 빛나는 점을 바라보고 있음을.

"나의 소울메이트." 그녀가 그 점을 알아본 순간 나지막이 속삭였다.

"나는 당신과 함께 달 전승을 걸어갈 것이오." 마법사가 말했다.

그러자 그 즉시 그들을 둘러싼 밀밭이 잿빛 사막으로 바뀌었다. 그곳에는 사원이 하나 있었고, 그 거대한 입구 앞에서 흰 옷을 입은 여인들이 춤을 추고 있었다. 브리다와 마법사는 모래언덕 꼭대기에서 그 장면을 바라보고 있었다. 그녀는 사람들에게 자신이 보이는지 알지 못했다.

브리다는 자기 곁에 있는 마법사의 존재를 느끼고 이 환영이 뜻하는 바가 무엇인지 묻고 싶었지만 목소리가 나오지 않았다. 그는 그녀의 두 눈에서 두려움을 읽었고, 그들은 밀밭의 빛나는 원 안으로 돌아왔다.

"그게 뭐였죠?" 그녀가 물었다.

"당신에게 주는 내 선물이오. 달 전승의 비밀사원 열한 군데 중 한 곳이지. 당신이 존재하는 것에 대한, 그리고 당신을 만나기 위해 그토록 오랜 세월을 기다린 것에 대한 사랑과 고마움의 선물."

"저를 데려가줘요." 그녀가 말했다. "당신의 세계를 거니는 법을 가르쳐주세요."

그리고 두 사람은 시간을, 공간을, 전승들을 두루 함께 여행했다. 브리다는 꽃이 만발한 들판과 책 속에서나 볼 수 있었던 동물들, 빛나는 구름 위에 떠 있는 듯 보이는 신비로운 성과 도시들을 보았다. 마법사가 그녀를 위해 밀밭 위로 전승의 성스러운 상징들을 그리는 동안, 하늘은 완벽한 광채로 가득 찼다. 어느 순간, 그들은 지구의 남극 혹은 북극으로 보이는 곳에 와 있었다. 온 세상이 얼음으로 덮여 있었다. 하지만 그곳은 지구가 아니었다. 인간보다 작고 손가락은 더 길고 다른 형태의 눈을 가진, 다른 피조물들이 광대한 우주선에서 일하고 있었다. 그녀가 마법사에게 뭐라고 말하려 할 때마다 눈앞에 보이는 이미지들은 사라지면서 다른 것들로 바뀌었다. 브리다는 여자의 영혼을 통해 깨달았다. 지금 이 남자가 그토록 오랜 세월 동안 배운 모든 것을 그녀에게 보여주기 위해 진정 애쓰고 있음을, 그리고 오로지 그녀에게 선물하겠다는 일념으로 그 오랜 시간을 인내하며 기다려왔음을. 하지만 그는 아무 두려움 없이 그녀에게 자신을 내맡길 수 있었다. 그녀가 바로 그의 소울메이트이므로. 브리다는 마법사와 함께 엘리시움*을 여행했다. 그곳은 깨우친 영혼들이 사는 곳으로, 아직 깨달음을 구하는 영혼들이 희망을 머금기 위해 가끔씩 찾아오기도 했다.

시간이 얼마나 지났을까. 어느새 브리다는 자신이 직접 그린 원 안에 빛나는 존재와 함께 돌아와 있었다. 그녀는 이미 사랑을 경험해 본 적이 있었다. 그러나 그날 밤까지 그녀에게 사랑이란 두려움을 의미했다. 아무리 미미하더라도 그 두려움은 언제나 베일과도 같은 것이었다. 베일을 통해서는 거의 모든 것을 볼 수 있다. 오직 색깔만을 제외하고. 그리고 지금 이 순간, 자신의 소울메이트 앞에서, 그녀는 사랑이란 층층이 포개진 수천 개의 무지개와도 같은, 색깔과 아주 밀접하게 관련된 감정이라는 것을 깨달았다.

* 고대 그리스인들이 서쪽 끝에 존재한다고 믿었던 낙원. 영웅, 시인, 성직자 같은 이들의 영혼이 아름다운 풍경에 둘러싸여 그곳에서 영원불멸한다고 믿었다.

'잃을지도 모른다는 두려움 때문에 얼마나 많은 것들을 잃었던가!' 그녀는 무지개들을 바라보며 생각에 잠겼다.

그녀는 누워 있었다. 그리고 그녀 위에 빛나는 존재가 있었다. 그의 왼쪽 어깨 위에 환히 빛나는 점이 있고, 이마와 배꼽에서 눈부신 빛줄기들이 뻗어나오고 있었다.

"당신에게 뭐라고 말하고 싶었는데 말이 나오지 않았어요." 그녀가 말했다.

"아까 마신 와인 때문이오." 그가 대답했다.

바와 와인, 받아들이고 싶지 않은 무언가 때문에 짜증스러웠던 기분 따위는 이제 브리다에게 먼 기억들이었다.

"환영들을 보여줘서 고마워요."

"환영이 아니오." 빛나는 존재가 말했다. "당신은 대지의 지혜와 먼 곳에 있는 행성을 본 거요."

브리다는 그런 것들에 대해 토론하고 싶지 않았다. 그 어떤 수업도 필요하지 않았다. 그녀는 오직 자신이 경험한 것만을 원했다.

"저한테서도 빛이 나나요?"

"나와 마찬가지로. 같은 색깔과 같은 빛으로. 그리고 같은 기운을 내뿜고 있소."

이제 색깔은 금빛을 띠었고, 배꼽과 이마에서 나오는 기운은 빛나는 밝은 푸른빛이었다.

"길을 잃었다가 이제야 구원을 받은 느낌이에요." 브리다가 말했다.

"피곤하오. 돌아갑시다. 나도 많이 마셨어요."

바와 밀밭, 버스정거장이 있는 세계가 어딘가에 존재한다는 것을 알았지만 브리다는 그곳으로 돌아가고 싶지 않았다. 그녀가 원하는 것은 오직 그곳에 영원히 머무는 것이었다. 멀리서 기도하는 소리가 들려왔고, 그녀 주변의 빛이 조금씩조금씩 사그라지다 마침내 완전히 꺼졌다. 거대한 달이 들판을 비추며 다시 하늘을 환하게 밝혔다. 그들은 벌거벗은 채 서로 부둥켜안고 있었다. 추위도, 부끄러움도 잊은 채.

마법사는 브리다가 의식을 시작했으니 마무리도 그녀가 하라고 청했다. 브리다는 자신이 알고 있는 몇 마디 말을 읊조렸고, 그도 그녀를 도왔다. 마지막 주문이 끝나자 그가 마법의 원을 열었다. 그들은 옷을 입고 땅바닥에 앉았다.

"이제 가요." 얼마간 시간이 흐른 후 브리다가 말했다. 마법사가 일어섰고, 그녀도 그를 따라 일어섰다. 그녀는 무슨 말을 해야 좋을지 몰랐다. 어색했다. 그 역시 마찬가지였다. 그들은 사랑을 고백했고, 이제 이와 비슷한 상황에 처한 여느 연인들처럼 눈 마주치기를 부끄러워했다.

침묵을 깬 사람은 마법사였다.

"당신은 도시로 돌아가야 해. 어디 가면 택시를 잡을 수 있는지 알아."

그 이야기를 듣는 순간 브리다는 실망해야 할지, 안심해야 할지

판단이 서지 않았다. 기쁨의 감정은 메스꺼움과 두통에 자리를 내주기 시작했다. 그날 밤 그의 곁에 있으면 좋은 모습을 보이지 못할 것이 분명했다.

"그러죠." 그녀가 대답했다.

그들은 발걸음을 돌려 마을로 돌아왔다. 그가 공중전화부스에서 전화를 걸었다. 그러고 나서 그들은 인도 끝 갓돌 위에 앉아 택시를 기다렸다.

"오늘 밤 고마웠어요." 그녀가 말했다.

그는 아무 말도 하지 않았다.

"춘분절 축제가 마녀들만을 위한 것인지는 모르겠어요. 하지만 제겐 아주 중요한 날이 되겠죠."

"축제는 축제일 뿐이지."

"그렇다면 당신을 초대하고 싶어요."

마법사는 화제를 돌리고 싶다는 시늉을 해 보였다. 그 순간 그도 그녀와 같은 생각을 하고 있었으리라. 일단 소울메이트를 만나면 그와 헤어지는 것이 얼마나 힘든 일인지를. 브리다는 마법사가 자기 집으로 홀로 돌아가는 모습을, 언제 그녀가 돌아올지 궁금해하는 그의 모습을 상상했다. 그녀는 돌아올 것이다. 그녀의 마음이 그것을 명하고 있으니까. 하지만 숲의 고독은 도시의 고독보다 훨씬 견디기 힘든 것이다.

"사랑이라는 게 갑작스럽게 찾아오는 것인지는 모르겠어요." 브리다는 말을 이었다. "하지만 어쨌든 저는 사랑에게 저 자신을 활짝 열어놓았어요. 준비가 되어 있다고요."

택시가 도착했다. 브리다는 다시 한번 마법사를 바라보았다. 그가 훨씬 젊어 보였다.

"나도 사랑할 준비가 되어 있어." 그는 그렇게만 말했다.

부엌은 넓었고, 깨끗하게 반짝이는 창문으로 햇볕이 쏟아져 들어오고 있었다.

"우리 딸, 잘 잤니?"

그녀의 엄마는 치즈 토스트와 핫 초콜릿을 식탁 위에 내려놓았다. 그러고는 베이컨과 계란을 준비하기 위해 다시 가스레인지 쪽으로 향했다.

"응, 잘 잤어. 그런데 내 드레스 준비 다 됐어요? 모레 파티 때 입어야 하는데."

엄마가 베이컨과 계란을 가지고 와서 앉았다. 딸한테 무슨 일이 생겼다는 건 알았지만 그녀가 할 수 있는 일은 아무것도 없었다. 그동안 딸과 제대로 대화해본 적은 없지만 오늘만큼은 얘기를 해보고 싶었는데. 하지만 그래봤자 별 소용도 없을 것 같았다. 저기 바깥에는 엄마가 모르는 새로운 세상이 있었다.

그녀는 두려웠다. 딸을 사랑하니까, 그리고 그 딸이 새로운 세상을 혼자 걸어가야 하니까.

"엄마, 옷은 제때 완성되겠죠?" 브리다가 다시 물었다.

"점심 전까지는 될 거야." 엄마가 대답했다. 그리고 그 말은 그녀를 행복하게 했다. 적어도 세상에서 몇 가지는 바뀌지 않았다. 언제나 엄마들이 딸들의 문제를 해결해준다는 것.

엄마는 잠깐 망설이다가 결국 물었다.

"로렌스는 어떻게 지내니?"

"잘 있어. 오늘 오후에 나 데리러 올 거예요."

엄마는 안심이 되면서, 동시에 어쩐지 서글퍼졌다. 마음의 문제는 늘 영혼에 생채기를 내는 법이다. 그녀는 딸이 그런 문제를 겪지 않는 데 대해 하느님께 감사했다. 하지만 다른 한편으로는, 사랑만이 그녀가 딸에게 도움을 줄 수 있는 유일한 영역이기도 했다. 오랜 세월이 흘러도 사랑은 거의 변하지 않으니까.

모녀는 브리다가 어린 시절을 보낸 작은 마을을 한 바퀴 산책하러 나갔다. 집들은 변한 것 하나 없이 똑같았고, 사람들은 여전히 똑같은 일을 하고 있었다. 브리다는 마을에 하나뿐인 은행이나 문구점 등에서 일하고 있는 중학교 동창 몇 명과 마주쳤다. 모두 브리다의 이름을 기억하고 그녀에게 인사를 건넸다. 몇몇은 그녀가 몰라보게 컸다고 놀랐고, 왜 이렇게 예뻐진 거냐고 은근히 칭찬하기도 했다. 오전 열시에 모녀는 레스토랑에 들어가 차를 마셨다. 브리다의 엄마가 남편을 만나기 전 주말이면 들르던 곳이었다. 그 시절 그녀는 단조로운 하루하루를 끝내줄 벼락 같은 열정을 찾아 그곳에 드나들었다.

엄마는 딸을 바라보았다. 모녀는 마을 사람들에 대한 시시콜콜한 소식들에 관해 얘기를 나눴다. 브리다가 그 이야기에 관심을 보이자 엄마는 기뻤다.

"오늘 그 옷이 꼭 필요해요." 브리다가 다시 말했다. 어딘지 모르게 슬퍼 보였지만 옷 때문은 아닌 것 같았다. 그녀는 엄마가 자신을 절대로 실망시키지 않으리라는 걸 잘 알고 있었다.

엄마는 또다시 위험을 감수해야 했다. 자식들이 언제나 듣고 싶어하지 않는 질문을 하기로 한 것이다. 자식들이란 자신들이 독립적이고, 자유롭고, 자기 문제를 해결할 수 있다고 생각한다.

"얘, 무슨 걱정이라도 있는 거니?"

"엄마, 두 남자를 동시에 사랑해본 적 있어요?" 딸의 목소리는 어딘지 모르게 도전적이었다. 마치 세상이 그녀에게만 함정을 파놓았다는 듯이.

엄마는 마들렌 과자를 차에 부드럽게 적셔 먹었다. 잃어버린 시간을 찾아가는 듯 그녀의 두 눈에 아련함이 떠올랐다.

"그래, 동시에 두 남자를 사랑해봤지."

브리다는 동작을 멈추고 놀란 눈으로 엄마를 바라보았다.

엄마는 미소를 머금었다. 그리고 산책이나 하자고 청했다.

"네 아빠는 나의 첫사랑이자 가장 위대한 사랑이었어." 레스토랑을 나서면서 엄마가 말했다. "지금도 이 엄마는 네 아빠 곁에서 행복하단다. 지금의 너보다 훨씬 어렸을 때 나는 꿈꿨던 모든 것을 누렸지. 그 시절 나나 내 친구들은 삶의 유일한 이유가 사랑이라고 믿었어. 사랑하는 사람을 찾지 못한 사람은 꿈을 이뤘다고 말할 수 없었지."

"엄마, 지금 그 얘기를 하는 게 아니잖아요." 브리다는 마음이 급했다.

"엄마에겐 아주 다른 꿈들이 있었어. 가령, 나도 너 같은 꿈을 꾸었지. 대도시로 나가 우리 마을 밖에 존재하는 넓은 세상을 알고 싶었어. 하지만 부모님께 허락받을 수 있는 유일한 방법은, 공부를 더 하고 싶은데 여기서는 그게 불가능하다고 말하는 거였단다.

나는 어떻게 이 얘기를 해야 할지 며칠을 뜬눈으로 지새우며 고민했어. 내가 할 말을 한마디 한마디, 그리고 그분들께서 이렇게 말씀하시면 나는 또 이렇게 조목조목 반박해야지 하고 미리 생각해놓았지."

엄마는 전에 이런 식으로 이야기한 적이 한 번도 없었다. 브리다는 얌전하게 듣고 있으면서도 어떤 후회를 느꼈다. 이런 시간을 더 가질 수도 있었는데. 그러나 그동안 모녀는 각자 자기 세계에 갇혀 자기 가치관에만 얽매여 살아왔다.

"그런데 부모님과 대화를 나누기 이틀 전에 네 아빠를 만난 거야. 나는 네 아빠의 눈에서 특별한 광채를 발견했지. 마치 평생을 찾아 헤매던 사람을 만난 것만 같았어."

"그게 뭔지 알아요, 엄마."

"네 아빠를 만나고 나의 탐색도 끝났다는 걸 깨달았지. 이제는 세상에 대한 그 어떤 설명도 필요가 없어졌거든. 여기에서, 똑같은 사람들 사이에서 똑같은 일을 하며 살아도 그리 절망스럽지가 않았어. 서로를 향한 우리 둘의 사랑으로 매일 매일이 달라졌으니까.

우리는 교제를 하고 곧 결혼했지. 큰 도시로 나가 살고 싶었다는, 다른 세상과 다른 사람들을 만나고 싶었다는 내 꿈을 네 아빠에게 말한 적은 한 번도 없었단다. 갑자기 온 세상이 우리 마을 안에 들어왔거든. 사랑이 내 삶에 대한 설명이 되어준 거지."

"엄마, 다른 사람도 있었다면서요."

"네게 보여주고 싶은 것이 있단다." 엄마는 그렇게만 말했다.

그들은 마을의 유일한 가톨릭성당으로 이어지는 커다란 계단 밑까지 걸었다. 종교전쟁 때문에 수세기에 걸쳐 무너지고 다시 건축되기를 반복한 성당이었다. 어린 시절 브리다는 매주 일요일 그곳에 미사를 드리러 갔고, 그 계단을 오르는 일은 형벌과도 같았다. 양쪽 난간이 시작되는 곳에는 세월과 찾아오는 많은 관광객 때문에 이제는 많이 닳아버린 성 베드로와 성 야고보 동상이 좌우로 서 있었다. 봄 대신 가을이 오고 있는 듯, 땅은 마른 나뭇잎들로 덮여 있었다.

성당 건물은 언덕 꼭대기에 서 있어서 모녀가 있는 곳에서는 나무들에 가려 보이지 않았다. 엄마는 맨 아래 계단에 앉더니 딸에게도 앉으라고 권했다.

"바로 여기였단다." 엄마가 이야기를 시작했다. "어느 날 오후, 이제는 기억도 나지 않는 어떤 이유로 기도를 드리러 이곳에 왔지. 혼자 있고 싶었고, 인생에 대해 생각을 좀 해보고 싶어서였어. 그러기에는 성당이 적합한 장소라는 생각이 들었지.

그런데 와보니 한 남자가 있더구나. 네가 앉아 있는 바로 그곳에, 옆에는 가방 두 개를 놓고 앉아 필사적으로 책을 뒤적이는 모습이 영락없이 길을 잃은 것 같았어. 어쩌면 호텔을 찾는 관광객일지도 모른다는 생각에 그에게 다가갔지. 먼저 말을 건 쪽은 나였어. 처음에는 좀 놀라는 것 같더니, 금세 편안하게 받아들이더구나.

길을 잃은 게 아니라고 했어. 그는 유적지 몇 곳을 발굴한 고고학자였는데, 북쪽을 향해 차를 몰고 가다가 엔진이 멈춰버렸다더구나. 이미 정비공이 오는 중이었고, 그는 기다리는 동안 성당이나 구경할 생각이었어. 그 사람은 우리 마을과 근처 마을들에 있는 유적지들에 대해 내게 몇 가지 물었단다.

갑자기, 그날 오후 내 머릿속을 어지럽히던 모든 문제들이 기적처럼 사라져버렸어. 내가 쓸모 있는 사람이라는 생각이 들었고, 그래서 내가 아는 모든 것을 이야기해주었지. 내가 이곳에서 살았던 모든 시간이 갑자기 의미를 가지기 시작했어. 내 앞에는 사람들과 마을들을 연구하는 사람이 있었고, 그는 내가 어린 시절에 듣거나 발견한 것들을 미래의 후세에 전하기 위해 모두 간직할 수 있는 사람이었어. 커다란 계단에 앉아 있는 이 남자는 내가 세상에서, 우리나라 역사에서 얼마나 중요한 사람인지 깨닫게 해주었지. 나 자신이 꼭 필요한 사람처럼 느껴졌고, 그것은 한 인간 존재로서 느낄 수 있는 최고의 기분이었단다.

성당 이야기를 마친 후 우리는 다른 이야기를 계속했어. 나는 내가 이 마을을 얼마나 자랑스러워하는지 말했고, 그는 지금은 기억나지 않는 한 작가의 문장을 인용해서 이렇게 말했어. '세계를 이해하는 힘을 주는 것은 당신의 고향입니다.'"

"톨스토이." 브리다가 말했다.

하지만 그녀의 엄마는 언젠가 브리다가 그랬듯이 이미 과거로 시간여행을 가 있었다. 다만 그녀에게는 하늘에 떠 있는 대성당도, 지하 도서관도, 먼지가 뽀얗게 덮인 책들도 필요 없었다. 어느 봄날 오후, 가방들과 함께 계단 위에 앉아 있던 한 남자에 대한 추억이면 충분했다.

"우리는 한참을 얘기했지. 나는 오후 내내 그와 함께할 수 있었지만, 정비공이 언제 도착할지 모르는 상황이었어. 그래서 일 분, 일 초를 최대한 활용해야겠다고 마음먹었어. 나는 그의 세계에 대해서, 발굴 작업이라든가 현재에 살면서 과거를 탐색하며 살아가는 도전 같은 삶은 어떤 것인지 물었단다. 그는 우리 땅에서 살았던 전사와 현자, 해적들에 대해 이야기해주었지.

어느새 해가 기울어 있더구나. 그렇게 쏜살같이 지나간 오후는 생전 처음이었어.

나는 그 사람 역시 나와 같은 것을 느끼고 있다는 걸 눈치챘어. 대화가 계속 이어지게 하려고 연신 내게 질문을 던지며 내가 그만 가봐야겠다고 말할 틈을 주지 않더구나. 그는 끊임없이 이야기했어. 그날까지 자신이 경험한 모든 것을 이야기했지. 그리고 마찬가지로 나에 대해서도 모든 것을 알고 싶어했어. 그의 두 눈은 나를 원한다고 말하고 있었어. 그때 내 나이가 지금 네 나이의 거의 두 배였는데도 말이야.

때는 봄이었고, 새로이 움트는 것들의 감미로운 향기가 공기중에 감돌고 있었지. 다시 젊어진 기분이었어. 여기 이 근처에 가을에만 피는 꽃이 있는 거 아니? 그날 오후, 나는 그 꽃이었단다. 내 인생의 가을에, 경험할 수 있는 모든 것은 이미 경험했다고 생각했는데, 갑자기 그 남자가 계단에 나타난 거야. 그 어떤 감정도, 예컨대 사랑과 같은 감정은 육체와 함께 늙지 않는다고 말해주기 위해 나타난 것 같았어. 감정들이란 내가 알지 못하는 세상의 일부라고, 하지만 그 세상에는 시간도, 공간도, 국경도 없다고 말이야."

엄마는 한동안 침묵을 지켰다. 그녀의 두 눈은 먼 곳에, 그 봄날에 머물러 있었다.

"나는 거기 있었어. 서른여덟 살의 사춘기 소녀처럼, 누군가 다시 나를 원한다는 것을 느끼면서. 그는 내가 떠나는 걸 원치 않았지. 그리고 어느 한순간, 그는 말을 멈췄어. 그러더니 내 눈 깊은 곳을 들여다보고는 미소를 짓더구나. 마치 내 생각을 마음으로 읽었다는 듯이, 그리고 내가 맞다고, 내가 그에게 아주 소중한 사람이라고 말하고 싶다는 듯이. 한동안 우리는 아무 말 없이 가만히 앉아 있었어. 정비공은 오지 않았지.

오랫동안 나는 그 남자가 정말로 존재했던 걸까 하고 생각했단다. 혹시 생의 비밀을 알려주기 위해 신께서 내게 보내주신 천사는 아니었을까. 결국 나는 그가 진짜 존재했던 남자라는 결론을 내렸단다. 겨우 오후 한나절이었지만 나를 사랑했고, 그날 오후 자신이 평생 간직해온 모든 것을 내게 준 남자라고. 자신이 평생 해온 싸움과 자신이 느낀 희열, 자신이 겪은 어려움과 자신이 꾼 꿈, 그 모든 것을 내게 줬어. 나 역시 그날 오후 나 자신을 온전히 그에게 주었지. 나는 그의 동료이자, 그의 아내이자, 그의 이야기에 귀를 기울이는 사람이자 연인이었단다. 그 몇 시간 동안, 나는 평생의 사랑을 했던 거야."

엄마는 딸을 바라보았다. 딸이 모두 이해해주길 바랐다. 하지만 마음속으로는 느끼고 있었다. 이제 딸은 그런 사랑이 존재하지 않는 세상에 살고 있다고.

"한 번도 네 아빠를 사랑하지 않은 적은 없단다. 단 하루도." 엄마는 이야기를 마무리 지었다. "네 아빠는 늘 내 곁에 있었고, 자신이 할 수 있는 최선을 다했고, 나는 죽는 날까지 그의 곁에 있고 싶어. 하지만 마음이라는 것은 알 수 없는 것이어서 그날 오후에 무슨 일이 일어났던 것인지 이 엄마는 아직도 이해하지 못하고 있어. 이것만은 알지. 그 만남이 내가 아직 사랑하고 사랑받을 수 있는 사람이라는 걸 가르쳐줬다는 것, 그럼으로써 내가 나 자신에 대한 더 큰 신뢰를 가질 수 있게 되었다는 것. 그리고 절대 잊을 수 없는 것을 가르쳐주었지. 살아가면서 중요한 한 가지를 찾았다고 해서 그 때문에 다른 중요한 것들을 포기할 필요가 없다는 것.

가끔씩 그 사람 생각을 한단다. 그가 어디에 있는지, 그날 오후 그가 찾던 것을 찾아냈는지, 살아는 있는지, 아니면 하느님이 그의 영혼을 돌보고 계신지 알면 좋겠구나. 그가 절대 돌아오지 않으리라는 건 안단다. 그래서 이렇게 확신을 갖고 마음 깊이 그를 사랑할 수 있는 것이기도 하고. 그 사람을 잃을 일이 없거든. 그날 오후 그는 내게 자신을 온전히 내주었으니까."

브리다의 엄마가 일어섰다.

"이제 네 옷을 마무리 지으러 돌아가야겠구나."

"나는 여기 조금 더 있다 갈게요." 브리다가 대답했다.

엄마는 딸에게 다정하게 키스했다.

"내 이야기를 들어줘서 고맙다. 이 이야기를 누군가에게 한 건 처음이란다. 아무에게도 이 이야기를 하지 못하고 죽을까봐, 그렇게 영영 이 이야기가 지구상에서 지워질까봐 두려웠어. 이제 네가 나를 위해 그 이야기를 고이 간직해주렴."

브리다는 계단을 올라가 성당 앞에 멈춰섰다. 작고 둥그런 건축물은 지역의 큰 자랑거리였다. 성당은 아일랜드 초기 기독교 성지들 중 한 곳으로, 매년 학자들과 관광객들이 그곳을 찾아왔다. 바닥 몇 군데를 제외하고는 5세기에 지은 건축물의 원형은 남아 있지 않았다. 그러나 파괴될 때마다 일부는 훼손되지 않고 남아서, 방문객들은 그렇게 한 건축물에서 여러 다양한 건축사를 엿볼 수 있었다.

건물 안에서 누군가 오르간을 연주하고 있었다. 브리다는 음악에 귀를 기울이며 한동안 가만히 있었다. 성당 안에는 모든 것이 명확하게 설명되어 있었다. 우주는 있어야 할 정확한 자리에 있었고, 일단 문을 통해 그곳으로 들어온 사람은 아무것도 걱정할 필요가 없었다. 그곳에는 인간을 초월하는 신비로운 힘도, 이해하려 들지 말고 무작정 믿어야 하는 어두운 밤도 없었다. 불에 타 죽은 사람에 관한 이야기도, 이제는 없었다. 온 세상의 종교들은 인간과 신을 연결 짓는 동맹으로서 어우러져 존재하고 있었다. 그러나 그녀의 나라 아일랜드는 아직 그런 평화적 공존을 누리지 못하고 있었다. 북쪽에서는 사람들이 신앙이라는 미명하에 서로 죽이고 죽임을 당했다. 하지만 그것도 결국은 끝날 것이다. 신은 거의 설명되어가고 있었다. 신은 자비로운 어버이이며, 모든 사람들은 구원되었다.

"나는 마녀야." 성당 안으로 들어가고 싶은 마음이 점점 커지자 그녀가 가까스로 그 충동을 억누르며 중얼거렸다. 이제 그녀가 따르는 전승은 달랐고, 설사 같은 신일지라도 그녀가 그곳에 들어가면 성당을 모독하는 셈이 될 것이고, 마찬가지로 그녀 자신의 종교도 모독당하는 셈일 터였다.

그녀는 담배를 한 대 피우며 그런 생각을 떨치기 위해 지평선을 바라보았다. 대신 엄마를 생각했다. 당장 집으로 달려가 엄마의 품에 몸을 던지고, 이틀 후면 자신이 마녀들의 '위대한 신비'에 입문하게 될 거라고 말하고 싶었다. 시간 여행을 했고, 섹스의 힘을 깨우쳤고, 달 전승에서 내려오는 기술을 사용해 쇼윈도 안에 무엇이 있는지 알아낼 수 있다는 것도 말하고 싶었다. 브리다에게는 사랑과 이해가 절실했다. 그녀에게도 아무한테나 털어놓을 수 없는 이야기가 있었으니까.

오르간 연주가 멈췄다. 다시 마을의 소음과 새들의 노랫소리, 나뭇가지를 가볍게 흔들며 봄이 왔음을 알리는 바람 소리가 들렸다. 성당 뒷문이 열리더니 이내 닫혔다. 누군가 그곳에서 나온 것이다. 한

순간 브리다는 어린 시절의 여느 일요일로 돌아갔다. 그녀는 지금 서 있는 바로 그곳에 서서 짜증을 내고 있었다. 일요일은 그녀가 들판에서 뛰놀 수 있는 유일한 날이었는데 미사가 너무 길었던 것이다.

'들어가봐야 해.' 엄마라면 그 순간 그녀가 느끼는 기분을 이해할 수도 있으리라. 하지만 바로 그 순간, 엄마는 멀리 있었다. 그녀 앞에는 텅 빈 성당이 있었다. 그녀는 지금 일어나고 있는 일들에서 기독교가 어떤 역할을 맡았는지 위카에게 물은 적이 한 번도 없었다. 그러나 저 문을 넘어가는 건 화형당해 죽은 자매들을 배신하는 짓이라는 생각이 들었다.

'하지만 나 역시 화형대에서 타죽었잖아.' 그녀는 혼잣말을 중얼거렸다. 브리다는 마녀들의 수난을 기렸던 날, 위카가 올렸던 기도를 떠올렸다. 그때 위카는 기도중에 예수와 성모 마리아를 언급했다. 사랑은 모든 것을 초월했고, 사랑에는 증오가 없었다. 이따금 착오를 저지를 뿐. 어느 순간 인간은 신의 대리자가 되기로 결심했고 그 결과 온갖 실수를 저지르게 된 것인지도 모른다.

그러나 신은 그것과는 아무 상관이 없었다.

마침내 그녀가 들어섰을 때, 성당 안에는 아무도 없었다. 불이 밝혀진 초 몇 개가 있는 것으로 보아, 그날 아침 누군가가, 오로지 막연히 감지할 수밖에 없는 힘과 자기 자신을 연결하는 데 전념했고, 그렇게 하여 보이는 세계와 보이지 않는 세계 사이의 다리를 건넜음을 알 수 있었다. 그녀는 좀전까지의 생각을 뉘우쳤다. 그곳 역시 설명되어 있는 것은 아무것도 없었다. 그곳에서도 사람들은 위험을 무릅써야 하고, '믿음'이라는 '밤의 어둠' 속으로 침잠해야 했다. 그녀 앞에는, 지나치게 소박해 보이는 신이 양팔을 활짝 벌린 채 십자가에 매달려 있었다.

그는 그녀를 도울 수 없었다. 결정은 그녀 혼자 내려야 하고, 아무도 그것을 도울 수는 없었다. 위험을 감수하는 법을 배워야 했다. 브리다에게는 그녀 앞에 있는, 십자가에 못 박힌 그 남자와 같은 자질들이 없었다. 그는 하느님의 아들이었기에 자신의 사명을 잘 알고 있었다. 절대 실수도 없었다. 그는 인간끼리의 사랑을 알지 못했다. 단지 아버지에 대한 사랑만 알았을 뿐. 그가 해야 할 일은 자신의 지혜를 내보여 인류에게 천국으로 이르는 길을 다시 열어 보이는 것뿐이었다.

하지만 단지 그 뿐이었을까? 그녀는 어느 일요일의 교리문답시간을 떠올렸다. 그때 신부는 평소보다 훨씬 고무되어 있었다. 그날 그들은 예수가 피땀을 흘리며 자기가 마셔야 할 성배를 거둬달라고 간청하며 신께 기도하는 부분을 공부하고 있었다.

"그런데 왜 그랬을까요? 자기가 신의 아들인 걸 이미 알고 있었다면서요." 그녀가 신부에게 물었다.

"단지 마음으로만 알고 있었기 때문이란다. 절대적으로 확신하고 있었다면 그분의 사명은 의미가 없었겠지. 그런 존재는 전적인 인간이 아니었을 테니까. 인간이라는 건, 끊임없이 의심하면서도 자신의 길을 가는 존재인 거야."

그녀는 다시 십자가 위의 예수를 바라보았다. 그리고 평생 처음으로 그와 가까워진 느낌이었다. 어쩌면 여기, 한 남자가 홀로, 죽음을 대면하고 두려움에 떨며 묻고 있는 것인지도 모른다. "아버지, 아버지, 어찌하여 저를 버리시나이까?" 이렇게 말했던 것은, 그조차 자신이 내디딜 발걸음에 확신이 없었기 때문이었다. 그는 생의 마지막에 이르러서야 그 답을 얻게 되리라는 것을 알면서도 다른 모든 이들처럼 위험을 무릅쓰고 어두운 밤 속으로 침잠해들어간 것이었다. 그 역시 살아가면서 결정을 내리는 고통과, 인간의 비의와 율법의 신비를 찾아 부모와 그가 살던 작은 마을을 버리는 고통을 감내해야 했다.

이 모든 과정을 거쳤다면, 그 역시 사랑을 경험했으리라. 성서에는 그에 관한 어떤 언급도 없지만. 인간들 사이의 사랑은 초월적 존재를 향한 사랑보다 훨씬 이해하기 어려웠다. 하지만 이제 브리다는 떠올릴 수 있었다. 그가 부활해 가장 먼저 모습을 드러낸 건 그가 죽을 때까지 함께 있어준 여자 앞이었다는 것을.

성상도 말없이 그녀에게 동조하는 듯했다. 그는 포도주와 빵, 잔치, 인간, 세상의 아름다움을 맛보았다. 그런 그가 여자의 사랑을 몰랐다는 건 불가능했다. 그리고 그 때문에 그는 올리브 동산에서 피땀을 흘린 것이었다. 한 사람의 사랑을 경험했기에, 전 인류에 대한 사랑을 짊어지고 자신을 온전히 내주며 이 땅을 떠난다는 것은 지독히도 어려운 일이었을 것이다.

그는 세상이 베풀 수 있는 모든 것을 맛보았고, 그럼에도 자신의 길을 계속 갔다. 어두운 밤이 십자가나 화형대에서 끝날 수도 있다는 걸 알면서도.

"주여, 우리 모두는 어두운 밤이라는 위험을 감수하기 위해 이 땅에 있습니다. 저는 죽음이 두렵습니다. 하지만 삶을 낭비하는 것은 더욱 두렵습니다. 우리의 이해를 넘어서는 것들을 담고 있기에 저는 사랑이 두렵습니다. 사랑은 그토록 밝게 빛나지만, 그것이 던지는 그림자가 저를 두렵게 합니다."

그녀는 자기도 모르는 사이에 기도하고 있었다. 저 단순한 신이 그녀를 굽어보고 있었다. 그녀의 말을 알아듣고 진지하게 귀를 기울여주고 있었다.

한동안 브리다는 그의 대답을 기다리며 앉아 있었다. 하지만 아무 소리도 들리지 않았다. 표지도 발견할 수 없었다. 대답은 그곳에, 그녀 앞에 있었다. 대답은 십자가에 못 박힌 남자였다. 그는 자기 역할을 다했고, 각자가 자기 역할을 다하면 아무도 더는 고통받지 않으리라는 것을 몸소 세상에 보여주고 있었다.

꿈을 위해 싸울 수 있는 용기를 가진 모든 인간을 위해, 그가 이미 고통받았기 때문이었다.

브리다는 조용히 흐느꼈다. 자신이 왜 우는지도 모르는 채.

아침부터 잔뜩 흐린 날이었지만 비는 내리지 않았다. 로렌스는 그 도시에서 산 지 몇 년 되었기에 구름의 모양을 읽을 줄 알았다. 그는 잠자리에서 일어나 커피를 준비하러 부엌으로 갔다.

물이 끓기 전에 브리다가 들어왔다.

"어젯밤에 아주 늦게 자던데." 로렌스의 말에 브리다는 대답하지 않았다. "오늘이지?" 그가 계속 말을 이었다. "네게 얼마나 중요한 날인지 나도 알아. 나도 정말로 같이 가고 싶어."

"이건 파티야." 브리다가 대답했다.

"그게 무슨 말이야?"

"파티라고. 우리 사귀고 나서는 파티에 늘 함께 갔잖아. 당신도 초대받았어."

마법사는 어제 내린 비로 정원의 브로멜리아드들이 상하지 않았나 보러 나갔다. 완벽했다. 그는 혼자 웃었다. 때로 자연의 힘들은 서로를 이해했다.

그는 위카를 생각했다. 그녀는 그와 브리다의 어깨에서 환하게 빛나는 점은 보지 못하리라. 오직 소울메이트만이 서로를 알아볼 수 있기 때문이다. 하지만 그와 그녀의 제자 사이를 오가는 빛의 파장은 감지할 것이다. 마녀이기 이전에 여자니까.

달 전승에서는 이것을 '사랑의 환영'이라 불렀다. 소울메이트냐 아니냐는 상관없이, 그저 사랑에 빠진 사람들 사이에서 생겨난 것이라 하더라도, 그 환영은 위카의 분노를 일으킬 것이다. 여자의 분노, 자기보다 아름다운 어느 누구도 용납하지 못하는 백설공주의 계모가 느꼈을 분노를.

그러나 위카는 마스터였다. 곧 자신의 감정이 얼마나 말도 안 되는 것인지를 깨달을 것이다. 하지만 그때는 이미 그녀의 후광 색깔이 바뀐 다음일 것이다.

그러면 그는 그녀에게 다가가 볼에 키스하고 질투하는 거냐고 물을 것이다. 그녀는 아니라고 대답하리라. 그러면 그는 물을 것이다. 그런데 왜 화를 냈느냐고.

그녀는 대답할 것이다. 자기는 여자이고, 감정을 일일이 설명할 필요는 없다고. 그녀가 진실을 말했기에 그는 또다시 키스를 해줄 것이다. 그리고 헤어진 이후 그녀가 아주 많이 그리웠다고, 이 세상의 그 어떤 여자보다 그녀를 더 숭배한다고 말할 것이다. 브리다를 제외하고는. 브리다는 그의 소울메이트이니까.

위카는 만족할 것이다. 현명한 여자니까.

'나도 늙었군. 혼자서 이런 상상이나 하면서 시간을 보내다니.' 하지만 나이 때문이 아니었다. 사랑에 빠진 남자들은 다들 그런 거야, 하고 그는 생각했다.

위카는 만족했다. 밤이 내리기 전에 비도 그치고 구름도 걷혔다. 자연은 인간의 일에 조화를 이루어야 하는 법이다.

필요한 조치는 모두 취해놓았다. 모두 자기 역할을 잘 수행해왔고, 모자란 것은 아무것도 없었다.

그녀는 제단에 다가가 자신의 마스터를 불러냈다. 그리고 이날 밤 함께하십사 청했다. 새로운 마녀 셋이 위대한 신비에 입문할 것이고, 위카의 어깨 위에 지워진 책임은 실로 어마어마했다.

그러고 나서, 그녀는 커피를 준비하러 부엌으로 갔다. 그녀는 오렌지주스를 만들고, 토스트를 굽고, 귀리 비스킷 몇 조각을 먹었다. 그녀는 여전히 외모에 신경을 썼고, 자신이 아름답다는 것을 알고 있었다. 자신이 얼마나 현명하고 능력이 있는지를 증명하기 위해 아름다움을 포기할 필요는 없었다.

멍하니 커피를 젓다가, 바로 오늘 같았던 오래전 그날을 떠올렸다. 마스터가 그녀의 운명에 '위대한 신비'를 각인해준 그날을. 잠시 그녀는 그때 자신이 어떤 사람이었는지, 그녀가 품고 있던 꿈은 무엇이었는지, 삶에서 무엇을 바랐는지 열심히 기억을 더듬었다.

"나도 늙었어. 지난 세월이나 떠올리면서 시간을 보내고 있다니."

그녀가 큰 소리로 말했다. 그러고는 얼른 커피를 다 마신 후 준비를 하기 시작했다. 아직도 해야 할 일이 있었다.

하지만 그녀는 알고 있었다, 자신이 아직은 늙지 않았음을. 그녀의 세계에는 시간이 존재하지 않았다.

갓길에 서 있는 자동차들이 꽤 많은 걸 보고 브리다는 놀랐다. 아침에 먹구름이 드리워져 있던 하늘은 맑게 개어 저녁노을이 마지막 빛을 내뿜고 있었다. 춥기는 했지만 그래도 봄의 첫날이었다.

그녀는 숲의 정령들이 보호해주기를 기도하며 로렌스를 바라보았다. 그도 브리다의 기도를 따라했다. 그는 약간 어색해했지만 그곳에 오길 잘했다고 생각하고 있었다. 그들이 계속 하나가 되려면, 가끔은 상대방의 현실에 발을 내디뎌야 했다. 두 사람 사이에도 보이는 세계와 보이지 않는 세계를 이어주는 다리가 존재했다. 마법은 모든 행위들에 깃들어 있었다.

그들은 빠른 걸음으로 숲을 지나 곧 공터에 이르렀다. 브리다가 기대했던 풍경이 눈앞에 펼쳐져 있었다. 모든 연령대의, 다양한 직업군에 속하는 남자와 여자들이 삼삼오오 모여 대화를 나누고 있었다. 그들은 이 모든 일이 세상에서 가장 자연스러운 일이라는 듯이 행동하려 하고 있었지만, 사실 그들 역시 브리다와 로렌스처럼 당황한 기색이 역력했다.

"이 사람들이 전부 그런 사람들이야?" 이렇게 많은 사람이 모일 줄은 미처 알지 못했던 로렌스가 물었다.

아니, 하고 브리다가 대답했다. 몇몇은 그처럼 초대받은 이들이었다. 누가 의식에 참여하는 사람인지는 그녀도 정확히 알지 못했다. 때가 되면 다 알게 되겠지.

그들은 한쪽 구석에 자리를 잡았고, 로렌스는 땅바닥에 가방을 내려놓았다. 브리다가 입을 옷과 와인 세 병이 들어 있는 가방이었다. 위카는 참가자든 손님이든 각기 와인 한 병씩을 가져오라고 당부했었다. 집을 나서기 전 로렌스는 자기 말고 초대받은 손님이 또 누구인지 물었다. 브리다는 종종 산으로 찾아가 만나는 마법사라고 대답했고, 그는 대수롭지 않게 넘겼다.

"상상해봐." 로렌스 옆에서 이야기하는 여자의 목소리가 들려왔다. "오늘 밤 내가 진짜 마녀들의 안식일 집회에 나갔다는 걸 알면 친구들이 뭐라고 할지."

마녀들의 안식일 집회. 피와 화형식과 이성의 시대와 망각에서 간신히 살아남은 축제. 로렌스는 여기 모인 사람들 중에서 자기와 처지가 비슷한 사람들이 적지 않을 거라고 스스로를 다독이면서 마음을 편하게 먹으려고 애썼다. 그러나 공터 한복판에 쌓여 있는 마른 장작더미가 보이자 왠지 소름이 끼쳤다.

한구석에서 사람들과 얘기를 나누고 있던 위카가 브리다를 발견하고 다가왔다. 그녀는 인사를 건네면서 괜찮은지 물었다. 브리다는 신경 써줘서 고맙다고 인사하고는 로렌스를 소개했다.

"한 사람 더 초대했어요." 브리다가 말했다.

위카는 놀라서 그녀를 바라보았지만, 곧 환한 미소를 지어 보였다. 브리다는 그 한 사람이 누군지 그녀가 아는 것이라고 확신했다.

"잘됐군." 그녀가 대답했다. "이건 그 사람의 축하연이기도 하니까. 그 늙은 마법사를 본 지도 한참 됐는데. 이젠 뭘 좀 배웠는지도 모르지."

사람들이 속속 도착했다. 브리다는 누가 손님이고 누가 참가자인지 구분할 수 없었다. 삼십 분이 흐르자, 이제는 거의 백 명에 가까운 사람들이 공터에서 나지막한 목소리로 대화를 나누고 있었다. 곧 위카가 조용히 해달라고 청했다.

"이것은 의식입니다." 그녀가 말했다. "하지만 또한 축하연이기도 하지요. 자, 잔을 가득 채우기 전에는 축하연은 시작되지 않습니다."

위카는 와인 병을 따 옆 사람의 잔에 가득 따라주었다. 잠시 후 커다란 와인 병들이 돌았고, 사람들의 목소리도 알아들을 수 있을 정도로 조금씩 높아져갔다. 브리다는 술을 마시고 싶지 않았다. 한 남자가 그녀에게 달 전승의 비밀 사원을 보여주었던 밀밭에서의 추억이 아직도 생생했다. 게다가, 기다리는 손님은 아직 도착하지 않았다.

반면 로렌스는 마음이 훨씬 편안해져서 주위 사람들과 얘기를 나누기 시작했다.

"이거 진짜 파티잖아!" 로렌스가 웃으면서 그녀에게 말했다. 뭔가 기이한 세계를 보게 되리라 생각하고 마음을 단단히 먹고 왔는데, 그냥 진짜 파티가 열리고 있었다. 그리고 그 자리는 그가 자주 참석해야 하는 과학자들의 파티보다 훨씬 재미있었다.

그가 자리잡은 곳에서 약간 떨어진 곳에 흰 턱수염을 기른 남자가 있었다. 그의 학교 교수들 중 한 사람으로 보였다. 로렌스가 어찌할 바를 모르고 있는데, 교수 역시 그를 알아보고는 인사의 뜻으로 잔을 살짝 들어올려 보였다.

로렌스는 마음이 한결 가벼워졌다. 이제는 마녀사냥도 없고, 마녀에게 호의를 가진 사람들이 핍박당하는 시대도 지났다.

"꼭 피크닉 같아." 누군가의 목소리가 브리다에게 들려왔다. 그랬다. 피크닉 같았다. 그리고 그 때문에 그녀는 짜증이 났다. 뭔가 의식에 가까운 일을, 고야와 생상, 피카소 같은 예술가들에게 영감을 준 안식일 집회 같은 걸 기대했는데…… 그녀는 옆에 놓인 와인 병을 들고 마시기 시작했다.

파티. 파티를 통해 보이는 세계와 보이지 않는 세계 사이의 다리를 건너는 것이다. 브리다는 이렇게 세속적인 분위기에서, 성스러운 무언가가 어떻게 모습을 드러낼지 몹시 궁금해졌다.

순식간에 밤이 내렸고, 사람들은 쉬지 않고 마셨다. 어둠이 위협적으로 공터를 온통 뒤덮어가자, 남자 몇 사람이 어떤 특별한 의식도 없이 모닥불을 피우기 시작했다. 먼 옛날에도 그랬다. 모닥불은 마법 같은 강력한 힘을 상징하기 이전에 단순히 불을 밝히기 위한 것이었다. 그리고 그 불빛 주변으로 여자들이 모여들었다. 여자들은 둘러서서 그들의 남편 이야기를, 그들이 겪은 마법에 관한 이야기를, 무서운 몽마(夢魔)와 마주친 이야기를 나눴다. 먼 옛날에도 이랬다. 파티, 많은 사람들이 참석하는 대규모의 축제, 봄과 가을이 왔음을 기뻐하는 축하연. 그 시절, 사람들은 이렇게 행복을 향유함으로써 권위에 도전했다. 약자들로 하여금 오직 시험에 들게 하기 위해 만들어진 세상에서는 아무도 즐길 수가 없었기 때문이다. 영주들은 성문을 닫아걸고 어두운 성안에 들어앉아 숲에서 타오르는 모닥불을 바라보며, 뭔가 도둑맞은 기분을 느꼈다. 저 농부들은 행복을 맛보고 싶어한다. 한번 행복을 맛본 순간부터, 슬픔을 아무 저항 없이 받아들이던 사람들이 이제 그것을 견딜 수 없게 된다. 이제 농민들은 일 년 내내 행복하게 지내고 싶어할 테고, 그러면 모든 정치와 종교체계가 위협당할 수도 있었다.

이미 거나하게 취한 너덧 사람이 모닥불 주위에서 춤을 추기 시작했다. 마녀들의 집회를 흉내내려는 모양이다. 브리다는 춤추는 사람들 중에서 위카가 자매들의 순교를 기리는 모임을 열었을 때 만난 입문자 하나를 발견했다. 충격적인 모습이었다. 달 전승을 따르는 사람이라면 그들이 밟고 서 있는 성스러운 장소에 어울리는 행동을 할 거라고 브리다는 생각했다. 그녀는 마법사와 함께한 밤, 그들이 엘리시움을 거닐 때 술 때문에 소통이 제대로 이루어지지 않았던 것을 기억하고 있었다.

"내 친구들, 질투 나서 아주 죽으려고 할걸?" 누군가의 목소리가 들려왔다. "내가 여기에 있었다는 거, 절대로 안 믿을 거야."

그런 말들을 이제 더는 참기가 힘들었다. 그녀는 좀 떨어져 있고 싶었다. 그리고 지금 대체 무슨 일이 일어나고 있는 건지 이해하고 싶었고, 거의 일 년 동안 믿어왔던 모든 것들에 대해 실망하기 전에 그곳에서 도망쳐 집으로 돌아가고 싶다는 엄청난 충동과 맞서 싸워야 했다. 그녀는 위카를 찾기 위해 둘러보았다. 위카는 다른 손님들과 어울려 웃고 즐기고 있었다. 모닥불 주위에서 춤추는 사람들의 수는 점점 더 늘어갔다. 나뭇가지 두드리는 소리와 열쇠로 빈 와인 병을 두드리는 소리에 맞춰 손뼉을 치며 노래를 부르는 사람들도 있었다.

"한 바퀴 돌고 올게." 브리다가 로렌스에게 말했다.

로렌스의 주위에는 이미 한 무리의 사람들이 모여, 그가 들려주는 오래된 별이니 현대 물리학의 기적이니 하는 이야기에 푹 빠져 있었다. 그러나 브리다의 말에 그는 곧장 이야기를 멈췄다.

"같이 가줄까?"

"아니, 혼자 가고 싶어."

브리다는 사람들에게서 빠져나와 숲을 향해 걸었다. 목소리들은 흥에 겨워 점점 더 높아졌다. 술에 취한 사람들, 온갖 잡담들, 모닥불 주위에서 마녀와 마법사 흉내를 내는 사람들, 이 모든 것들이 그녀의 머릿속에서 뒤죽박죽 섞이기 시작했다. 그토록 오랜 시간 동안 오늘 밤을 기다려왔는데, 이건 그저 파티에 불과했다. 먹고 마시고 농담이나 주고받다가 남반구의 인디오들이나 북극의 물개를 도와야 한다며 연설을 해대는, 여느 자선행사나 다름없는 파티.

브리다는 모닥불을 시야에서 놓치지 않도록 주의하면서 숲속을 걷기 시작했다. 그녀는 풍경을 내려다볼 수 있는 바위를 찾아 우회하는 길을 올라갔다. 하지만 높은 곳에서 내려다보는 풍경 역시 절망적이었다. 위카는 다양한 사람들 사이를 돌아다니면서 모두 괜찮은지 묻느라 바빴고, 사람들은 모닥불 주위에서 춤추고, 몇몇 커플은 술에 취해 첫 키스를 나누기도 했다. 로렌스는 두 남자와 활기차게 이야기를 나누고 있었는데, 아마도 이런 파티보다는 술집에나 어울릴 만한 화제일 것이다. 그리고 뒤늦게 도착한 누군가가 숲속을 가로질러가고 있었다. 시끄러운 소리에 용기를 얻어 좀 즐겨보겠다고 온 사람인 듯했다.

그런데 그 걷는 모습이 낯익었다.

마법사였다.

브리다는 소스라쳐 내리막길을 뛰어내려가기 시작했다. 그가 파티에 합류하기 전에 그를 만나고 싶었다. 예전에도 몇 번 그랬듯 그가 그녀를 구해줄 것이다. 그녀는 지금 이곳에서 벌어지는 모든 일들의 의미를 알아야 했다.

'확실히 위카는 안식일 집회를 열 줄 아는군.' 마법사는 파티가 한창인 곳으로 다가가면서 생각했다. 사람들 사이를 자유로이 떠도는 에너지를 눈으로 보고 느낄 수가 있었다. 이 단계에서, 안식일 집회는 여느 파티와 다를 바 없다. 초대받은 모든 사람들이 같은 떨림으로 하나가 되도록 하는 게 중요했다. 처음 안식일 집회에 참석했을 때, 그도 이 모든 것들 때문에 충격을 받았다. 그리고 마스터를 한쪽 구석으로 불러서 대체 무슨 일이 벌어지고 있는 것인지 물어보았던 기억이 떠올랐다.

"파티에 한 번도 안 가봤나?" 마스터는 대화가 한창 물이 오른 상황에서 방해받은 것을 언짢아하며 물었다.

마법사는 가보았다고 대답했다.

"그렇다면 어떻게 해야 즐거운 파티가 되는지 알 것 아닌가?"

"모든 사람들이 흥겹게 즐기는 거죠."

"인간은 동굴에 거주하던 시절부터 축제를 열었네." 마스터가 대답했다. "축제는 우리가 아는 최초의 집단 제의야. 그리고 태양 전승은 오늘날까지 그것이 생생하게 이어져내려오게 하는 책임을 맡았어. 좋은 파티는 참석한 이들의 부정적인 파동을 정화해주지. 하지만 그렇게 되게 하는 건 쉽지 않은 일이야. 불청객 몇 사람만 있어도 즐거운 분위기는 쉽사리 깨지니까. 그런 이들은 자신들이 다른 이들보다 훨씬 중요하다고 생각하지. 쉽사리 만족하지도 않아. 다른 이들과 하나가 되지 못하니까 그곳에서 시간을 낭비하고 있다고 여기지. 결국 그들은 대개 다른 이들과 교감을 이루는 데 성공한 이들로부터 내몰린 나쁜 영(靈)의 찌꺼기를 짊어진 채 자리를 뜨게 되지.

명심하게. 신께 이르는 으뜸가는 길은 기도이고, 그다음은 즐거움이라는 것을."

마스터와 그 대화를 나눈 것도 벌써 오래전이었다. 그때 이후로 그는 많은 안식일 집회에 참석했고, 지금 자신이 제의적 파티에, 그것도 제법 솜씨 좋게 조직된 파티에 와 있다는 것을 알 수 있었다. 하나로 모인 에너지가 점점 상승해가고 있었다.

마법사는 브리다를 찾아 사방을 둘러보았다. 하지만 워낙 많은 사람들이 모여 있었고, 그는 군중에 익숙하지 않았다. 자신이 그 군집된 에너지에 참여해야 한다는 것도 알고, 또 그럴 의향도 충분했지만, 그전에 좀 익숙해질 필요가 있었다. 그녀가 그를 도울 수도 있으리라. 브리다를 만나면 마음이 좀 편안해질 것 같았다.

그는 마법사였다. 환히 빛나는 점을 발견해낼 수 있다. 의식 상태를 전환하기만 하면 많은 사람들 사이로 점이 보일 것이다. 그는 그 빛을 몇 년 동안이나 찾아다녔다. 그리고 이제 그것은 그로부터 몇십 미터밖에 떨어져 있지 않았다.

마법사는 의식 상태를 전환했다. 그리고 달라진 지각을 통해 다시 파티가 벌어지고 있는 곳을 바라보았다. 후광은 형형색색이었다. 하지만 그 모든 색깔들은 그날 밤의 주조를 이룰 색에 점점 가깝게 바뀌어가고 있었다. '역시 위카는 대단한 마스터야. 이렇게 짧은 시간 안에 모든 걸 이뤄내다니.' 잠시 후면 이 모든 후광들과 사람들의 물리적 육체 주변에서 진동하고 있는 에너지들이 하나를 이루면서 의식의 2부가 시작될 것이다.

마법사는 좌우를 두리번거리다 마침내 환하게 빛나는 점을 찾아냈다. 그는 브리다를 놀래주기로 마음먹고 인기척도 없이 다가갔다.

"브리다." 그가 불렀다.

그의 소울메이트가 돌아보았다.

"브리다는 잠시 산책하러 갔는데요." 웬 청년이 예의 바르게 대답했다.

영원처럼 느껴지는 짧은 순간, 마법사는 앞에 서 있는 남자를 바라보았다.

"아, 당신이 그 마법사로군요. 브리다에게 말씀 많이 들었습니다." 로렌스가 말했다. "저희랑 합석하시지요. 그녀는 곧 올 겁니다."

하지만 브리다는 이미 돌아와 있었다. 그녀는 깜짝 놀라 눈이 동그래진 채 숨을 헐떡이면서 두 사람 앞에 서 있었다.

모닥불 건너편에서 시선이 느껴졌다. 마법사는 그 시선을 알고 있었다. 오직 소울메이트들만이 서로 알아볼 수 있는 환히 빛나는 점은 알아보지 못하는, 하지만 동시에 그것은 깊고 오래된 지혜가 깃든 시선이었으며, 달 전승을 알고 남녀의 마음을 꿰뚫어볼 줄 아는 이의 시선이었다.

마법사는 몸을 돌려 위카와 마주했다. 그녀가 모닥불 건너편에서 미소 짓고 있었다. 찰나와 같은 순간, 그녀는 모든 것을 이해한 것이다.

브리다의 두 눈도 마법사를 향해 있었다. 그 두 눈은 만족의 빛으로 반짝이고 있었다. 그가 온 것이다.

"로렌스를 소개해드릴게요." 그녀가 말했다. 갑자기 파티가 재미있어지기 시작했다. 더는 설명이 필요 없었다.

마법사의 의식은 여전히 전환된 상태였다. 그는 위카가 선택한 색으로 재빨리 바뀌어가는 브리다의 후광을 보았다. 브리다는 즐거워했고, 마법사가 온 것에 기뻐했다. 그리고 그의 말 한 마디, 행동 하나가 그날 밤 브리다의 입문식을 망쳐버릴 수도 있었다. 무슨 일이 있어도 자신을 억제해야 했다.

"반갑습니다." 그가 로렌스에게 말했다. "와인 한잔 주시겠습니까?"

로렌스가 미소를 머금고 와인 병을 건넸다.

“파티에 오신 걸 환영합니다.” 로렌스가 말했다. “분명 마음에 드실 겁니다.”

모닥불 건너편에서, 위카는 눈길을 거두며 안도의 한숨을 내쉬었다. 브리다는 아무것도 눈치채지 못했다. 브리다는 훌륭한 제자였다. 위카는 자기 제자가 이날 밤 입문식에서 제외되는 일은 일어나지 않기를 바랐다. 더구나 모든 과정 중에서도 가장 단순한 단계인, 다른 이들의 즐거움에 동참하지 못해서라면.

'저 사람이 알아서 조심하겠지.' 마법사는 수년간 은거하며 수행하고 단련해온 사람이다. 그러니 자신의 감정쯤은 다스릴 줄 알 것이다. 적어도 그것을 다른 감정으로 대체할 동안은 버틸 수 있을 것이다. 위카는 마법사가 이룬 것들과 그의 완강함을 존중했고, 그의 압도적인 힘에 두려움도 느꼈다.

그녀는 다른 손님들과 좀더 대화를 나눴지만, 방금 목격한 장면에 놀란 가슴은 좀처럼 가라앉지 않았다. 그러니까, 바로 그게 이유였다. 바로 그 때문에 마법사가 브리다에게, 결국은 다른 마녀들과 마찬가지로 달 전승을 배우며 여러 번의 전생을 살아온 마녀에게 그토록 신경을 쓴 것이었다.

브리다는 그의 소울메이트였다.

'여자로서의 내 직감도 다 녹슬었군.' 그녀는 모든 가능성을 상상했었다. 가장 명백해 보이는 것만 빼놓고. 그녀는 자신의 호기심이 긍정적인 결과로 이어졌으니 된 것 아니냐며 스스로를 위로했다. 제자의 존재를 재발견할 수 있도록, 신께서 그녀에게 선택해주신 길이었다.

마법사는 멀리 사람들 틈에서 아는 얼굴을 발견하고는 잠시 양해를 구한 뒤에 그쪽으로 갔다. 브리다는 흥분해 있었고, 마법사가 자기 곁에 있다는 사실이 너무나 기뻤다. 하지만 가게 두는 것이 나을 거라는 생각이 들었다. 여자로서의 본능이 마법사와 로렌스가 너무 오래 함께 있는 건 권할 만한 일이 아니라고 말하고 있었다. 두 사람이 친구가 될 수도 있지만, 두 남자가 한 여자를 사랑할 경우에는 친해지기보다는 원수가 되는 편이 나았다. 두 남자가 친구가 될 경우, 브리다는 그 둘을 모두 잃게 될 것이기 때문이었다.

그녀는 모닥불 주위에서 춤추는 사람들을 바라보다가 자신도 춤추고 싶어졌다. 그녀는 로렌스에게 춤을 청했다. 그는 잠시 망설이다가 결국 용기를 내어 응했다. 사람들은 빙글빙글 원을 그리며 손뼉을 치고, 와인을 마시고, 열쇠와 나뭇가지로 빈병을 두드렸다. 그녀가 마법사 앞을 지나칠 때마다 그는 미소를 지으며 잔을 들어보였다. 그녀 인생 최고의 날이었다.

위카가 원 안으로 들어왔다. 모든 사람들이 편안해하고 만족스러워하고 있었다. 어떤 일과 맞닥뜨릴지 걱정하고, 무엇을 보게 될지 두려워하던 이들은 이제 밤의 영(靈)과 완전히 하나가 되어 있었다. 봄이 당도했으니 그것을 축하하고, 햇빛 찬란한 날에는 믿음으로 영혼을 가득 채우고, 집 안에서만 보내던 어둠침침했던 잿빛 오후와 고독한 밤들은 어서 떨쳐내야 했다.

손뼉 소리는 점점 커졌고, 이제 위카가 그 리듬을 이끌고 있었다. 강한 리듬의 박수가 계속되었고, 모든 눈은 모닥불을 향하고 있었다. 이제는 아무도 추위를 느끼지 않았다. 벌써 여름이 온 것만 같았다. 모닥불을 둘러싼 사람들이 하나둘 스웨터를 벗기 시작했다.

"노래를 부릅시다!" 위카는 그렇게 말하고는 단순한 두 소절짜리 노래를 몇 번 반복해 불렀다. 그러자 곧 모든 사람들이 그녀를 따라 노래를 불렀다. 몇 안 되는 이들만이 그것이 마녀들이 사용하는, 일종의 '만트라'임을 알았다. 여기에서 중요한 것은 노랫소리이지 그 의미가 아니었다. 그것은 '재능'과 하나가 된 소리였다. 그리고 마법사나 다른 마스터들처럼 마법의 환영을 볼 수 있는 이들의 눈에는 여러 사람들에게서 뿜어져나오는 빛줄기들이 하나로 모이는 것이 보였다.

로렌스는 춤추다가 지쳐, 와인 병을 가지고 '악사들'을 도우러 갔다. 사람들은 모닥불에서 물러났다. 지쳐서 자리로 돌아간 이들도 있었고, 위카가 계속 리듬에 맞춰 손뼉을 쳐달라고 부탁해서 물러난 이들도 있었다. 입문자들을 제외하고는 아무도 무슨 일이 일어나고 있는지 눈치채지 못하고 있었다. 그리고 그런 가운데 파티는 성스러운 영역으로 접어들기 시작했다. 잠시 후, 모닥불 주위에는 달 전승을 따르는 여자들과 입문식을 치를 마녀들만 남았다.

위카의 남자 제자들도 춤을 멈췄다. 남자들의 입문식은 따로 날을 잡아 별도의 의식으로 치러진다. 바로 그 순간, 모닥불 바로 위, 영의 차원을 뒤덮은 것은 여성의 에너지, 즉 변화의 에너지였다. 태곳적부터 그래왔듯이.

브리다는 이제 너무 더웠다. 조금밖에 마시지 않았으니 와인 때문은 아니었다. 분명 모닥불의 열기 때문일 것이다. 그녀는 블라우스를 벗어던지고 싶은 마음이 굴뚝같았지만 부끄러웠다. 하지만 그 부끄러움은 단순한 노래를 부르고, 손뼉을 치고, 모닥불을 돌면서 춤을 추는 동안 점점 사라져갔다. 이제 그녀의 두 눈은 뚫어질 듯 불꽃만 응시하고 있었고, 세상은 점점 중요하지 않게 느껴졌다. 타로카드들이 그녀 앞에 처음으로 스스로를 드러내 보였을 때와 비슷한 느낌이었다.

'지금 난 무아지경으로 접어들고 있는 거야.' 브리다는 생각했다. '그게 뭐 어때? 파티는 이제야 흥이 올랐는걸.'

"정말 묘한 노래야." 로렌스가 병을 두드려 박자를 맞추면서 중얼거렸다. 자기 몸에서 나는 소리를 듣는 데 훈련이 되어 있던 그의 귀는 박수소리와 노랫소리가 정확히 가슴 한가운데서 울리고 있는 것을 느낄 수 있었다. 클래식 공연에서 가장 육중한 소리인 큰북 소리를 들을 때 같았다. 또 흥미로운 것은 그의 심장이 그 리듬에 맞춰 뛰고 있다는 것이었다.

위카가 박자를 빠르게 할수록, 그의 심장도 점점 더 빨라졌다. 다른 모든 사람들도 마찬가지일 게 분명했다.

'뇌에 더 많은 피가 공급되고 있는 거야.' 과연 과학도다운 생각이었다. 하지만 그는 마녀들의 의식에 와 있었고, 지금은 그런 생각을 할 때가 아니었다. 그런 건 나중에 브리다와 얘기할 수 있을 것이다.

"지금 나는 파티에 와 있고 그냥 즐기고 싶은 거라고!" 그가 큰 목소리로 말했다. 그의 옆에 있던 누군가가 그의 말에 맞장구를 쳤고, 위카의 손뼉은 점점 더 빠르게 리듬을 재촉해갔다.

'나는 자유로워. 그리고 내 육체가 자랑스러워. 보이는 세계에서 육체는 신의 현현(顯現)인 거야.' 이제 모닥불의 열기는 참을 수 없을 정도였다. 세상이 저만큼 멀리 물러난 듯 느껴졌고, 이제 그녀는 겉으로 보이는 것들이 어떻든 마음 쓰고 싶지 않았다. 그녀는 살아 있었고, 혈관 안에서는 뜨거운 피가 질주했으며, 그녀의 몸과 마음은 탐색에 완전히 빠져들었다. 모닥불 주위를 돌며 춤추는 것은 그녀에게 전혀 낯선 것이 아니었다. 이 손뼉과 음악 소리, 이 리듬에 그녀가 시간의 지혜를 가르치던 마스터였던 시절의 기억이 깊은 잠에서 깨어난 것이었다. 그녀는 혼자가 아니었다. 이 파티는 재회였다. 그녀 자신과의 재회이자, 여러 생을 살면서 그녀와 함께해온 전승과의 재회였다. 그녀는 깊은 곳에서부터 솟아나는 자기 자신에 대한 존경심을 느꼈다.

다시, 그녀는 육체 안에 존재했다. 수백만 년 동안 가혹한 세상에서 살아남기 위해 싸워온 아름다운 육체였다. 바다 밑에서 살다가 육지로 올라오고, 나무 위로 올라가고, 팔다리로 걸어다니다가 이제는 자랑스럽게 두 발로 대지 위에 선 육체. 그토록 오랫동안 싸워왔기에 존경받아 마땅한 육체였다. 아름다움도 추함도 존재하지 않았다. 모든 육체가 같은 길을 걸어왔기 때문이고, 모든 육체가 거기에 깃든 영혼의 보이는 부분이기 때문이었다.

그녀는 자랑스러웠다. 자기 몸에 대해 깊은 자긍심을 느꼈다.

그녀는 블라우스를 벗었다.

브래지어를 하지 않았지만, 아무래도 상관없었다. 그녀는 자기 몸이 자랑스러웠고, 그걸 가지고 그녀를 비난할 사람은 아무도 없었다. 그녀가 일흔 살 노파라 하더라도 여전히 자기 몸을 자랑스러워했으리라. 그 육신을 통해 영혼이 자기 일을 할 수 있으니까.

모닥불을 둘러싼 다른 여자들도 그녀와 똑같이 했다. 그 역시 아무래도 상관없었다.

그녀는 바지 벨트도 풀고 마침내 완전히 벌거벗었다. 그 순간, 그녀는 자기 평생 가장 온전한 자유를 느꼈다. 지금 하는 행동에 아무런 이유가 없기 때문이었다. 그녀가 벌거벗은 것은 오직 바로 그 순간, 그녀의 영혼의 자유로움을 드러낼 수 있는 유일한 길이었기 때문이다. 그곳에 참석해 있는 다른 사람들이 그녀를 쳐다보아도, 그들이 여전히 옷을 입고 있어도 상관없었다. 그녀가 자기 몸에 대해 느끼는 것을 그들도 똑같이 느끼길 바랄 뿐이었다. 그녀는 자유로이 춤추기 시작했고, 그 무엇도 그녀의 몸 동작을 방해하지 못했다. 몸의 원자 하나하나가 대기에 닿았다. 대기는 다정했다. 대기는 저

먼 곳에서 비밀과 향기를 실어와, 그녀의 머리끝부터 발끝까지 어루만졌다.

빈병을 두드리는 남자들과 손님들은 모닥불을 둘러싼 여자들이 벌거벗는 모습을 보았다. 그들은 손뼉을 치고, 손에 손을 잡고, 부드럽고도 격렬하게 노래를 불렀다. 빈병을 두드리는 소리인지, 손뼉을 치는 소리인지, 음악 소리인지, 그 리듬을 주도하는 것이 무엇인지 아는 이는 아무도 없었다. 지금 무슨 일이 일어나고 있는지는 모두가 의식하고 있는 듯 보였지만, 만약 누군가가 바로 그 순간 리듬에서 감히 일탈해야겠다고 마음먹었어도 그 뜻을 이루지 못했으리라. 의식이 이 단계에 이르렀을 때, 마스터가 가장 주의해야 할 것은, 아무도 자신이 무아지경에 빠졌음을 느끼지 못하게 하는 것이었다. 사람들이 자기 자신을 제어하지 못할 때조차도 그들이 제어하고 있다고 느끼게 해야 했다. 그러나 위카는 전승이 예외적으로 엄격하게 처벌하는 단 하나의 규칙, 바로 타인의 자유의지에 개입해서는 안 된다는 규칙을 범하지 않았다.

그곳에 있는 모든 이들은 자신이 마녀들의 안식일 집회에 참석하고 있다는 것을 알고 있었다. 그리고 마녀들에게 삶은 우주와 하나가 되는 것을 의미했다.

오랜 시간이 지난 후, 그날 밤이 단지 추억으로 남았을 때조차도, 여기 모인 이들 중 아무도 자신이 목격한 것에 대해 이야기하지 않을 것이다. 그에 관해서는 금지한 바가 없었지만, 그들은 모두 강력한 힘의 존재를 느꼈다. 어떤 인간 존재도 감히 도전할 수 없는, 신비하고 성스럽고 강렬하고 완전무결한 힘을.

"돌아!" 발목까지 내려오는 검은 옷을 입은 여자가 외쳤다. 유일하게 옷을 갖춰입은 여자였다. 알몸으로 춤추며 손뼉을 치던 여자들은 이제 모두 제자리에서 빙글빙글 맴돌았다.

한 남자가 위카 옆에 옷더미들을 갖다놓았다. 그중 세 벌은 처음으로 입는 것이었다. 그 세 벌 중 두 벌은 스타일이 거의 비슷했다. 같은 재능을 가진 이들의 옷이었다. 재능은 각자 꿈에서 본 옷이라는 형태로 형상화되어 있었다.

이제 위카는 손뼉을 칠 필요가 없었다. 사람들은 여전히 그녀가 주도하는 것처럼 계속 박자에 맞춰 손뼉을 치고 있었다.

위카는 무릎을 꿇고 앉았다. 그리고 양 엄지를 이마에 대고 '힘'을 쓰기 시작했다.

달 전승의 힘과 시간의 지혜가 거기 있었다. 마녀들이 마스터가 될 때 단 한 번 소환할 수 있는, 극히 위험한 힘이었다. 위카는 그 힘을 어떻게 다뤄야 하는지 알고 있었다. 하지만 그럼에도 자신의 마스터에게 보호를 청했다.

그 힘 속에는 시간의 지혜가 깃들어 있었다. 그리고 그곳에는 용의주도하고 위압적인, 커다란 뱀이 있었다. 오직 동정녀 마리아만이 발뒤꿈치로 그 뱀을 밟아 굴복시킬 수 있었다. 그런 까닭에 위카는 동정녀 마리아에게 영혼의 순수함을, 손의 견실함을, 망토의 보호를 청했다. 그 힘이 어느 누구도 유혹하거나 지배하지 않고 그녀 앞의 여자들에게 내릴 수 있도록 기도를 올렸다.

위카는 하늘을 우러르며, 강하면서도 확신에 찬 목소리로 사도 바오로의 말을 읊었다.

"누구든지 하느님의 성전을 더럽히면 하느님이 그 사람을 멸하시리라.

하느님의 성전은 거룩하니 너희도 그러하니라.

아무도 자신을 속이지 말라.

너희 중에 누구든지 이 세상에서 지혜 있는 줄로 생각되거든, 어리석은 자가 되라. 그리하여야 지혜로운 자가 되리라.

이 세상 지혜는 하느님께 어리석은 것이니.

기록된바 '하느님은 지혜 있는 자들로 하여금 자기 꾀에 빠지게 하시는 이'라 하였고 또 주께서 지혜 있는 자들의 생각을 헛것으로 아신다 하셨느니라. 그런즉 누구든지 사람을 자랑하지 말라. 만물이 다 너희 것임이라."

위카는 손을 몇 번 흔들어 손뼉의 리듬을 늦추었다. 빈병 두드리는 소리도 점점 느려졌고, 여자들도 점점 느린 속도로 돌기 시작했다. 힘은 여전히 위카의 통제하에 있었다. 가장 날카로운 소리를 내는 트럼펫부터 가장 감미로운 소리를 내는 바이올린까지, 오케스트라 전체가 제대로 연주되어야 했다. 그러기 위해, 그녀에겐 힘의 도움이 필요했다. 그러나 그 힘에 전적으로 자신을 내맡겨서도 안 되었다.

위카는 손뼉을 쳐서 필요한 소리를 냈다. 서서히, 사람들이 연주와 춤을 멈추었다. 마녀들은 위카에게 다가와 옷을 받았다. 오직 세 여자만이 그대로 알몸으로 있었다. 소리가 나기 시작한 지 한 시간 이십팔 분이 된 그 순간, 알몸으로 서 있는 세 여자를 제외한 모든 참석자들의 의식상태가 전환되었다. 자신이 어디에 있는지, 무엇을 하고 있는지 인지하고 있는 사람은 그들 중 아무도 없었다.

벌거벗은 세 여자는 완전한 무아지경에 들어 있었다. 위카는 의식용 단검을 앞으로 뻗어 거기 응축된 모든 에너지가 그들을 향하도록 했다.

잠시 후 그들의 재능이 모습을 드러낼 것이다. 이것은 길고 고통스러운 길을 통과해 이곳까지 도달하여 세상을 섬기는 그들의 방식이었다. 세상은 가능한 온갖 방법으로 그 여자들을 시험에 들게 했고, 이제 그들에게는 마땅히 열매를 취할 자격이 있었다. 그들이 가지고 있던 약점, 그들이 품었던 원한, 그들이 베풀던 소소한 선행과 악행들은 매일의 삶 속에서 그대로이리라. 여전히 변화하고 있는 세상의 일부인 다른 모든 이들처럼, 그들 역시 번민과 희열 속에서 살아가리라. 하지만 때가 되면 그녀들은 배우게 될 것이다. 각각의 인간 존재 안에는 그 자신보다 훨씬 중요한 '재능'이 깃들어 있음을. 신께서는 우리 한 사람 한 사람의 두 손에 재능을 쥐여주셨다. 그것은 신께서 이 세상에 당신 모습을 드러내고 인류를 돕기 위해 사용하는 도구이다. 신께서는 이 땅 위의 조력자로 인간을 선택한 것이다.

다만 어떤 이들은 태양 전승을 통해 자신의 재능을 발견하고, 또 어떤 이들은 달 전승을 통해 이해하는 것일 뿐. 몇 차례나 되는 생을 거쳐야 한다 해도, 결국 모든 이들은 자신의 재능이 무엇인지 깨닫게 되는 것이다.

위카는 켈트 사제들이 그 자리에 위치시켰던 거대한 바위 앞에 섰다. 그녀 주위로 검정 옷을 입은 마녀들이 반원을 그리며 서 있었다.

위카는 벌거벗은 세 여자들을 바라보았다. 그들의 눈은 환히 빛나고 있었다.

"이리 오라."

여자들이 반원 한가운데로 갔다. 위카는 그들에게 양팔을 십자가 모양으로 벌리고 이마를 땅바닥에 대고 엎드리라고 명했다.

마법사는 땅바닥에 엎드린 브리다를 보았다. 브리다의 후광만을 보려고 노력했지만 그는 남자였다. 남자는 여자의 몸을 본다.

그는 기억하고 싶지 않았다. 그는 자신이 고통스러운지 아닌지, 알고 싶지 않았다. 오직 한 가지만을 의식하고 있었다. 그의 곁이었던 그의 소울메이트와 함께하는 사명이 이제 끝나고 있음을.

'그녀와 함께한 시간이 이렇게 짧다니 아쉽군.' 하지만 그렇게 생각해서는 안 된다. 저 시간의 어딘가에서 그들은 한몸을 공유했고, 같은 고통에 아파했고, 같은 기쁨에 행복해했었다. 그들은 한 사람 안에 함께 깃들어 있었다. 혹시 누가 알겠는가, 그들이 지금 이곳과 같은 숲속을 함께 거닐며 지금과 똑같은 별들이 반짝이는 밤하늘을 함께 우러러보았을지. 자신의 마스터를 생각하자 그는 웃음이 났다. 마스터는 소울메이트와 만난다는 것이 무엇인지 이해시킨다는 그 목적 하나를 위해, 그토록 오랫동안 제자를 숲속에서 지내게 한 것이었다.

그것이 태양 전승이었다. 태양 전승은 각자가 원하는 것만 배우는 게 아니라, 반드시 필요한 것을 강제로라도 배우게 했다. 한 남자로서 그의 마음은 오랜 시간 눈물을 흘리리라. 하지만 마법사로서 그의 마음은 환희에 가득 차 있었고, 숲에 감사하고 있었다.

위카는 자기 발밑에 엎드려 있는 세 여자를 내려다보며, 숱한 생을 거쳐오는 동안 한결같은 길을 갈 수 있게 해주신 신께 감사드렸다. 달 전승은 마르지 아니하였다. 숲의 공터는 이미 먼 옛날 잊혀진 켈트 사제들에 의해 정화되었다. 그들의 의식에 관련된 것들 중 이제 남은 것은, 예를 들자면 지금 위카의 뒤에 서 있는 바위 정도다. 그 바위는 인간의 손으로는 도저히 들 수 없을 정도로 거대했지만, 고대인들은 마법을 이용해 그것을 옮기는 방법을 알고 있었다. 그들은 달 전승만이 아는 힘을 이용해 피라미드와 천문대를 세우고, 남미의 산속에 도시들을 건설했다. 그리고 인간이 그와 같은 지식을 더 필요로 하지 않게 되자 그것들은 시간 속에서 사라졌고, 그 덕분에 파괴적인 목적으로 쓰이지 않을 수 있었다. 그럼에도 위카는 순수한 호기심으로 어떻게 옛사람들이 그런 일들을 해낼 수 있었는지 알고 싶었다.

몇몇 켈트의 영들이 그곳에 와 있었다. 위카는 그들을 반갑게 맞이했다. 그들은 더이상 윤회하지 않는 마스터들이었고, 이제는 대지를 다스리는 비밀스러운 통치자의 일원이 되었다. 그들이 없다면, 그 지혜의 힘이 없다면, 지구는 벌써 오래전에 방향을 잃고 엉망이 되었을 것이다. 켈트 마스터들은 공터 왼편 나무들 위를 떠다니고 있었다. 강렬한 흰 빛이 영들의 몸을 온통 휘감고 있었다. 수세기를 거치면서 그들은 춘분과 추분 때마다 이곳을 방문해 전승이 그대로 유지되고 있는지 확인했다. 그럼요, 위카는 자랑스레 대답했다. 켈트 문화가 지구의 공식 역사에서 사라진 후에도 춘분과 추분을 기념하는 행사는 계속 그 명맥을 이어가고 있었다. 신의 손길이 직접 닿지 않는 한, 그 누구도 달 전승을 사라지게 할 수는 없었다.

위카는 한동안 사제들을 주의 깊게 살펴보았다. 그들은 오늘날의 인간들을 어떻게 생각할까? 이곳에 자주 오던 시절을, 신과의 조우가 훨씬 단순하고 직접적이던 시절을 그리워하고 있을까? 위카는 그렇지 않으리라 생각했고, 본능적으로 자신이 옳았음을 확신했다. 신의 정원을 가꾸는 것은 인간의 감정이다. 그 정원을 가꾸기 위해 사람들은 각기 다른 시대에, 전혀 다른 관습 속에서, 여러 번의 삶을 살아야 한다. 우주의 다른 존재들과 마찬가지로 인간은 진화의 길을 걸어왔고, 매일 그 전날보다 향상되었다. 비록 그 전날의 교훈을 잊어버리고, 배운 것을 제대로 써먹지 못하고, 삶이 공평하지 못하다고 불평하기는 해도.

하늘의 왕국은 밭에 뿌린 씨앗과도 같다. 인간은 아침저녁으로 자고 일어나고, 씨앗은 그가 알지 못하는 사이 싹을 틔우고 자라난다. 이런 가르침은 '세상의 영혼'에 아로새겨져 있고, 온 인류를 이롭게 한다. 중요한 것은 그날 밤 의식에 참석한 이들 같은 사람들, 늙은 현자 산 후안 데 라 크루스가 말했듯 '영혼의 어두운 밤'을 두려워하지 않는 사람들이 여전히, 앞으로도 계속 존재한다는 것이다. 그들이 내딛는 걸음 하나하나가, 신념에 찬 행동 하나하나가 온 인류를 새로이 구원했다. 신의 눈앞에서 인간의 모든 지혜란 그저 어리석음에 지나지 않는다는 것을 아는 이들이 있는 한, 세상은 빛의 길을 따라 나아갈 것이다.

위카는 남녀 할 것 없이 자신의 제자들이 자랑스러웠다. 그들은 새로운 세계의 발견이라는 도전을 위해 이미 명확하게 설명된 세상이라는 안락함을 희생할 수 있는 사람들이었다.

그녀는 양팔을 활짝 벌린 채 땅바닥에 엎드려 있는 벌거벗은 세 여자들을 다시 내려다보고는, 그들에게서 뿜어져나오는 후광의 색깔을 그들에게 덧입히려 애썼다. 그 순간 그들은 시간을 넘어 여행하면서 잃어버렸던 수많은 소울메이트들과 만나고 있었다. 오늘 밤 이후로 이 세 여자는 태어나는 순간부터 자신들을 기다려온 사명에 뛰어들 것이다. 그중 한 사람은 예순 살도 넘었지만, 나이는 조금도 중요하지 않았다. 중요한 것은, 여태껏 끈기 있게 기다려준 운명을 마침내 마주하고 섰다는 것, 그날 밤부터 그들이 신의 정원에서 아주 소중한 꽃나무들을 소중히 가꾸는 데 재능을 쓰게 되리라는 것이었다. 그들 하나하나는 각기 다른 이유로 이곳까지 왔다. 실연을 당해서, 일상에 지쳐서, 특별한 힘을 찾아서. 그리고 두려움과 나태, 그리고 마법의 길을 따르는 이들이라면 겪기 마련인 좌절과 맞섰다. 하지만 사실 그들은 와야 할 바로 그곳에 당도한 것이었으니, 신의 손길은 언제나 믿음으로 자신의 길을 따르는 이들을 지키기 때문이다.

'달 전승의 마스터들이나 의식들, 그리고 전승 그 자체는 참으로 매혹적이야. 하지만 다른 전승도 존재하지.' 마법사는 브리다를 뚫어져라 바라보며 생각했다. 브리다 곁에 오랫동안 머무를 위카에게 가벼운 질투가 일었다. 다른 전승이 따르기가 훨씬 어려운 것은 그것이 단순하기 때문이었다. 단순한 것은 항상 더 복잡해 보이는 법이다. 태양 전승의 마스터들은 세속에서 살았고, 그들이 가르치는 것의 위대함을 늘 깨닫고 있는 것은 아니었다. 뭔가 부조리해 보이는 충동에 이끌려 가르칠 때가 많기 때문이다. 그들은 목수와 시인, 수학자 등 온갖 직업과 관습을 가진 채 세계 각지에 흩어져 살았다. 어느 순간, 그들은 누군가와 대화하고 싶어지고, 누군가에게 이해할 수도 없고 혼자 간직할 수도 없는 감정을 설명해야 할 필요를 느낀다. 태양 전승은 바로 그런 식으로 지혜를 살려왔다. 창조의 충동이라는 방식을 통해.

인간이 발 디디는 어느 곳에도 태양 전승은 흔적을 남긴다. 그것은 조각품일 때도 있고, 식탁일 때도 있고, 특정 민족에게 대대로 전해내려오는 시 구절일 때도 있다. 태양 전승을 통해 말하는 사람들은 어디에나 있는 평범한 사람들이다. 그들은 어느 날 아침, 혹은 오후에 세상을 바라보다가, 문득 더 위대한 존재를 실감한다. 그들은 자기도 모르는 사이에 미지의 바다로 뛰어들게 되고, 대부분의 경우 그 일을 두 번 다시 하고 싶어하지 않는다. 살아 있는 모든 사람들은, 각자의 윤회에서 적어도 한 번은 우주의 비밀을 품는다.

그들은 자신도 모르는 사이에 어두운 밤에 뛰어든 자들이다. 그리고 대부분 자기 확신이 부족한 탓에 다시 그러고 싶어하지 않는다. 사랑과 평화, 그리고 헌신으로 세상을 양육하는 '성스러운 심장'은 그렇게 하여 다시 가시에 둘러싸이게 되는 것이다.

위카는 자신이 달 전승의 여성 마스터인 데 대해 감사했다. 태양 전승에서는 대부분의 사람들이 삶의 가르침으로부터 늘 도망치려고 하는 데 반해, 그녀를 찾아온 사람들은 모두 배우고자 하는 열망으로 가득했다.

'이제 그런 건 중요하지 않아.' 위카는 생각했다. 기적의 시대가 돌아오고 있었고, 이제부터 세상이 겪게 될 변화와 무관할 사람은 아무도 없을 것이기 때문이다. 몇 년 안에 태양 전승의 힘은 찬란한 빛 속에 그 모습을 드러낼 것이다. 그러면 아직 자기 길을 좇지 않은 이들은 스스로 만족을 느끼지 못하게 되어 어쩔 수 없이 선택의 기로에 서게 되리라. 자신이 실망과 고통 속에 갇힌 존재임을 받아들이거나, 아니면 모든 이들은 행복해지기 위해 태어났다는 것을 이해하거나.

일단 선택을 하고 나면, 그다음부터는 변화 말고는 다른 방법이 없을 것이다. 그러면 위대한 투쟁, 지하드가 시작될 것이다.

위카가 단검을 쥔 손을 완벽하게 움직여 허공에 원 하나를 그렸다. 그러고는 보이지 않는 그 원 안에 마녀들이 펜터그램이라 부르는 오망성을 그려넣었다. 펜터그램은 인간 안에서 작동하는 요소들을 상징한다. 그것을 통해 땅바닥에 엎드린 여자들은 빛의 세상과 조우하게 될 것이다.

"눈을 감아라." 위카가 말했다.

세 여자가 그녀의 말에 따랐다.

위카는 단검으로 한 사람, 한 사람의 머리 위에 의식에 따른 몸짓을 했다.

"이제 영혼의 눈을 뜨라."

브리다는 영혼의 눈을 떴다. 그녀는 사막 한가운데 있었다. 매우 익숙한 곳이었다.

이미 그곳에 와본 적이 있다는 게 기억났다. 마법사와 함께.

그녀는 마법사를 찾아 시선을 돌렸지만 그는 없었다. 그러나 무섭지 않았다. 평온하고 행복했다. 그녀는 자신이 누군지, 어느 도시에 사는지 알고 있었다. 그리고 그 시간, 다른 장소에서 파티가 열리고 있다는 것도 알고 있었다. 하지만 아름다운 풍경 앞에서 그런 것들은 아무래도 상관없었다. 그녀 앞에는 저 멀리 아득한 산들과 거대한 바위가 서 있는 모래사막이 펼쳐져 있었다.

"잘 왔네." 어떤 목소리가 말했다.

그녀의 옆에 한 남자가 서 있었다. 그녀의 할아버지가 입었을 법한 옷을 입은 남자였다.

"나는 위카의 마스터라네. 그대가 마스터가 되면 그대의 제자들이 이곳으로 위카를 만나러 올 거고, 계속 그렇게 나아갈 것이야. 마침내 '세상의 영혼'이 그 모습을 드러내 보일 때까지."

"저는 마녀들의 의식에 참여하고 있었어요." 브리다가 말했다. "안식일 집회에."

마스터가 웃었다.

"그대는 그대의 길과 마주하고 있잖나. 그런 용기를 지닌 사람은 극히 드물지. 사람들은 자신의 길이 아닌 길을 걷길 더 좋아하거든.

모든 이들은 자기 재능을 가지고 있어. 하지만 그게 무엇인지 보려고 하지 않아. 그대는 자신의 재능을 받아들였네. 자신의 재능을 만난다는 것은 세상과 만난다는 의미인 게야."

"하지만 왜 그래야 하나요?"

"신의 정원을 가꾸기 위해."

"저는 아직 살아갈 날이 많아요." 브리다가 말했다. "그리고 다른 평범한 사람들처럼 살고 싶어요. 착각도 하고, 이기적으로 굴기도 하고, 잘못도 저지르면서요. 저를 이해하시겠어요?"

마스터가 미소를 머금었다. 그의 오른손에는 푸른 망토가 들려 있었다.

"그대가 그런 생을 살아야 그들과 같아질 수 있는 거라네."

그녀를 둘러싼 풍경이 바뀌었다. 이제 그녀는 사막에 있지 않았다. 온갖 기이한 것들이 헤엄쳐다니는 액체 같은 것에 잠겨 있었다.

"삶이란 이런 것일세." 마스터가 말했다. "실수의 연속이지. 수백만 년 동안 세포는 정확히 똑같은 방법으로 번식해왔어. 그런데 그중 딱 하나가 실수를 저질러서 그 끝없는 반복 속에 변화가 생겨난 것이야."

브리다는 경이로움에 넋을 잃고 바다를 바라보았다. 어떻게 물속에서 숨을 쉴 수 있는지는 묻지도 않았다. 들리는 것은 마스터의 목소리뿐이었고, 떠오르는 것은 밀밭에서 시작했던 그 여행과 아주 비슷하다는 생각뿐이었다.

"실수가 세상이 움직이도록 추동한 거야." 마스터가 말했다. "실수를 결코 두려워하지 말게."

"하지만 아담과 이브는 낙원에서 추방됐잖아요."

"그리고 언젠가는 그곳으로 돌아가겠지. 하늘과 세상의 기적을 깨달을 때. 신께서는 두 사람이 선악과에 관심을 갖게 하시면서, 당신께서 무엇을 하고 있는지 알고 계셨다네.

그 둘이 그것을 먹기를 바라지 않으셨다면 말씀조차 꺼내시지 않았을 것이야."

"그렇다면 왜 그러셨을까요?"

"우주를 움직이게 하기 위해서지."

풍경은 다시 바위가 있는 사막으로 바뀌었다. 아침이었고, 지평선이 분홍빛으로 물들기 시작했다. 마스터가 망토를 들고 그녀에게 다가왔다.

"지금 이 순간, 나는 그대를 정화하네. 그대의 재능은 하느님의 도구야. 훌륭한 도구가 되기를."

위카는 세 여자 중 가장 젊은 여자의 옷을 골라 두 손에 들었다. 그리고 의식이 진행되는 내내 영의 몸으로 나무 위에 떠 있는 켈트 사제들에게 그 옷을 상징적으로 봉헌했다. 그러고는 브리다를 다시 돌아보았다.

"일어나라." 위카가 말했다.

브리다가 일어섰다. 그녀의 벗은 몸 위로 모닥불의 그림자가 너울거리며 춤을 추었다. 언젠가 그녀의 다른 몸은 지금과 똑같은 불꽃에 살라진 적이 있었다. 그러나 그 시간은 지나갔다.

"두 팔을 들어올려라."

브리다는 두 팔을 들어올렸다. 위카가 그녀에게 옷을 입혀주었다.

"저는 벌거벗고 있었어요." 위카의 마스터가 푸른 망토를 걸쳐주자 브리다가 말했다. "하지만 조금도 부끄럽지 않았어요."

"부끄러움이 아니었더라면, 신께서는 아담과 이브가 사과를 먹었다는 걸 알지 못하셨을 걸세."

마스터는 떠오르는 태양을 바라보았다. 혼란스러운 듯 보였지만, 그런 게 아니었다. 브리다는 그걸 알고 있었다.

"절대 부끄러워하지 마시게." 그가 계속 말을 이었다. "생이 그대에게 주는 것은 모두 받아들이고, 그대 앞에 놓인 잔은 모두 마시게. 포도주란 모두 맛보아야 하는 것이지. 어떤 것은 한모금만 마시고, 또 어떤 것은 병째 마셔야 하네."

"그걸 제가 어떻게 구별할 수 있을까요?"

"맛으로. 나쁜 와인을 맛본 사람만이 좋은 와인의 맛을 아는 법이지."

위카는 브리다를 돌려세워 모닥불과 마주 보게 했다. 그리고 다음 입문자에게로 갔다. 그녀 안에서 재능이 확실하게 그 모습을 드러내 보일 수 있도록 불이 재능의 에너지를 북돋워주었다. 이 순간, 브리다는 떠오르는 태양을 지켜보고 있었다. 이제부터 그녀의 생을 환히 밝혀줄 태양을.

"자, 이제 가세." 해가 다 떠오르자 마스터가 말했다.

"저는 제 재능이 두렵지 않아요." 브리다가 대답했다. "제가 어디로 가는지 알고 있고, 무엇을 해야 하는지 알고 있으니까요. 누군가 저를 도와준다는 것도 알아요.

전에 여기 와본 적이 있어요. 그때 이곳엔 춤추는 사람들과 달 전승의 비밀 사원이 있었죠."

마스터는 아무 말도 하지 않았다. 그는 그녀 쪽으로 돌아보고는 오른손으로 신호를 보냈다.

"그대는 받아들여졌네. 그대의 길이 평화의 순간에는 평화롭기를, 전투의 순간에는 전투가 되기를. 그리고 절대로 두 순간을 혼동하지 말기를."

마스터의 모습이 희미해지기 시작하더니, 사막과 바위와 함께 사라져갔다. 이제 남은 것은 오로지 태양뿐이었다. 그리고 그 태양은 하늘에 섞여들어 하나가 되기 시작했다. 조금씩 하늘은 어두워졌고, 태양은 이제 모닥불의 불꽃처럼 보였다.

브리다는 돌아와 있었다. 소란스러운 소리, 박수 소리, 춤, 무아지경에 빠졌던 것, 모두 기억났다. 이 많은 사람들 앞에서 옷을 벗은 것도 기억났다. 이제 와서 생각하니 조금 당황스러웠다. 그리고 마스터와 만난 기억도 생생했다. 그녀는 자기 안의 부끄러움, 두려움 그리고 조바심을 다스리려 애썼다. 평생 함께해야 할 감정들이므로 그것에 익숙해져야 했다.

위카는 세 입문자들을 반원으로 둘러선 여자들 한가운데로 들어와 서게 했다. 그들이 들어오자 마녀들은 손에 손을 잡고 원을 닫았다.

그들은 노래를 부르기 시작했다. 이제는 감히 아무도 그들의 노래를 따라 부르지 않았다. 거의 벌리지도 않은 입술에서 흘러나온 소리는 기이한 떨림으로 점점 더 날카로워졌고, 어느 시점이 되자 미친 새의 울음소리처럼 들렸다. 훗날 때가 되면 브리다 역시 그런 소리를 내는 법을 터득하게 될 것이다. 앞으로 더 많은 것들을 배우고, 마침내는 마스터가 되리라. 그러면 다른 여자들과 남자들을 달 전승에 입문시킬 것이다.

그러나 그 모든 것은 때가 되어야 이루어질 것이다. 그녀에겐 세상의 모든 시간이 있었다. 이제 그녀는 자신의 운명을 만났고, 자신을 도와줄 사람도 있었다. 영원은 그녀의 것이었다.

주변의 모든 사람들이 기이한 색을 띠고 있는 것을 본 브리다는 조금 당혹스러웠다. 그녀는 예전의 세계가 더 좋았다.

마녀들이 노래를 마쳤다.

"달의 입문식이 이루어졌고 이제 끝났다." 위카가 말했다. "이제 세상이라는 들판에서 풍성한 수확을 거둘 수 있도록 각고의 노력을 기울이라."

"기분이 이상해요." 한 입문자가 말했다. "앞이 흐릿하게 보여요."

"그대들은 지금 사람들을 감싸고 있는 에너지의 장을 보고 있는 거야. 우리는 그것을 후광이라고 부르지. 이것이 위대한 신비의 길로 내딛는 첫걸음이다. 이런 느낌은 곧 사라질 거야. 그것을 다시 일깨우는 방법은 앞으로 가르쳐주겠다."

위카가 재빠르고 민첩한 동작으로 의식용 단검을 땅에 내던졌다. 단검이 땅에 박혔고, 그 충격으로 칼자루가 떨렸다.

"의식은 끝났다." 그녀가 선언했다.

브리다는 로렌스에게 갔다. 로렌스의 두 눈은 빛나고 있었다. 브리다는 그가 그녀를 얼마나 자랑스러워하고 사랑하는지 느낄 수 있었다. 그들은 함께 성숙하고, 삶의 방식을 새로이 만들어나가고, 그들 앞에 놓인 온 우주를 발견해나가리라. 그들처럼 용기를 가진 이들을 기다리면서.

하지만 다른 한 남자가 있었다. 브리다는 위카의 마스터와 이야기하면서 마음을 정했다. 그 남자는 어려운 순간 그녀의 손을 잡아주고, 자신의 경험과 사랑으로 '어두운 밤'을 어떻게 헤쳐갈지 인도해줄 줄 아는 사람이었다. 그녀는 그를 사랑하는 법을 배우고, 그를 향한 그녀의 사랑은 그를 존경하는 마음만큼이나 클 것이다. 그들은 함께 깨달음의 길을 걸었고, 그 덕분에 그녀는 이곳에 이를 수 있었다. 그리고 언젠가 그와 더불어 그녀는 태양 전승을 배우게 되리라.

이제 그녀는 자신이 마녀임을 자각했다. 그녀는 수세기에 걸쳐 마녀의 기술을 배워왔고, 이제 있어야 할 자리로 돌아온 것이다. 이날 밤 이후 지혜는 그녀 삶에서 가장 중요한 것이 될 것이다.

"자, 이제 우리 가자." 그녀는 로렌스에게 가까이 다가갔다. 로렌스는 자기 앞에 서 있는 검은 옷의 여자를 감탄 어린 눈으로 바라보았다. 하지만 브리다는 알고 있었다. 마법사의 눈에는 자신이 입은 옷이 푸른색으로 보이리라는 것을.

그녀는 다른 옷들이 들어 있는 배낭을 건넸다.

"먼저 가서 우리를 차로 데려다줄 사람이 있는지 알아봐. 나는 누구랑 얘기 좀 하고 갈게."

배낭을 받아든 로렌스는 숲으로 난 길 쪽으로 몇 걸음 내딛다가 문득 멈춰섰다. 의식은 끝났고, 그들은 사랑과 질투와 정복을 위한 전쟁이 난무하는 세상으로 돌아와 있었다.

불안 역시 돌아왔다. 브리다의 태도가 마음에 걸렸다.

"신이 정말로 존재하는지 모르겠어." 로렌스가 주변 나무들을 향해 말했다. "하지만 지금은 그 생각을 보류해야겠지. 나 역시 신비를 마주하고 있으니까."

그는 자신이 뭔가 다른 방식으로 말하고 있다는 걸 느꼈다. 전에는 한 번도 가져본 적이 없는 묘한 확신이었다. 하지만 그 순간, 그는 나무들이 정말로 그의 말을 듣고 있다고 믿었다.

"어쩌면 여기 이 사람들은 나를 이해하지 못하겠지. 내 노력을 경멸할지도 모르겠어. 하지만 나 역시 그들만큼 용기 있는 사람이라고 생각해. 신을 믿지 않으면서도 신을 찾고 있으니까.

만약 신이 존재한다면, 그분은 용감한 이들의 신이야."

로렌스는 자신의 손이 희미하게 떨리는 것을 느꼈다. 아침이 다가오고 있었고, 그는 간밤에 대체 무슨 일이 일어난 것인지 아무것도 이해하지 못했다. 자신이 일종의 무아지경에 빠져들었음을 느꼈고, 그게 전부였다. 그러나 이렇게 손이 떨리는 것은 브리다가 말하던, 어두운 밤에 침잠하는 것과는 아무 상관이 없었다.

그는 하늘을 우러러보았다. 구름들이 여전히 낮고 짙게 깔려 있었다. 신은 용감한 이들의 신이다. 그리고 그 신은 로렌스를 이해할 것이다. 용감한 이들은 두려움을 안고 결정을 내리고, 내딛는 걸음마다 악마에게 괴롭힘을 당하고, 자신의 행동 하나하나에 번민하고, 자신이 옳은지 그른지 스스로 묻는 이들이기 때문이다.

그리고 그럼에도 불구하고 그들은 행동하는 이들이다. 그들은 행동한다. 그들 역시 기적을 믿기 때문이다. 오늘 밤 모닥불을 에워싸고 춤을 추던 마녀들처럼.

신은 저 여자를 통해 로렌스에게 돌아오려는 것인지도 모른다. 지금 다른 남자를 향해 멀어지고 있는 저 여자를 통해. 브리다가 떠난다면, 어쩌면 신 역시 영영 멀어질지도 모른다. 브리다는 그의 기회였다. 그녀는 신 안에 깊이 침잠할 수 있는 가장 좋은 방법이 바로 사랑이라는 것을 잘 아는 사람이기 때문이다. 그는 신을 되찾을 수 있는 기회를 놓치고 싶지 않았다.

로렌스는 숲의 맑고 차가운 공기를 느끼며 심호흡을 하고 자기 자신과 성스러운 약속을 했다.

신은 용감한 이들의 신이다.

브리다는 마법사를 향해 걸어갔다. 두 사람은 모닥불 옆에서 다시 만났다. 말이 잘 나오지 않았다.

먼저 침묵을 깬 쪽은 그녀였다.

"우리는 같은 길 위에 서 있어요."

마법사가 고개를 끄덕였다.

"나와 함께 그 길을 가요."

"하지만 당신은 나를 사랑하지 않아." 마법사가 말했다.

"아뇨, 당신을 사랑해요. 당신을 향한 내 사랑이 어떤 것인지 아직은 잘 모르겠지만, 당신을 사랑해요. 당신은 내 소울메이트인걸요."

그러나 마법사의 눈길은 먼 곳을 응시하고 있었다. 그는 태양 전승을 생각하고 있었다. 태양 전승에서 가장 중요한 가르침 중 하나는 사랑이다. 사랑은 모든 사람들이 알고 있는, 보이는 세계와 보이지 않는 세계를 잇는 유일한 다리이다. 그리고 하루하루 우주가 인간 존재들에게 전하는 가르침을 번역할 유일한 언어이기도 하다.

"나는 가지 않겠어요." 그녀가 말했다. "당신과 함께 남겠어요."

"당신의 연인이 기다리고 있어." 마법사가 대답했다. "내가 당신들의 사랑을 축복할게."

브리다는 이해할 수 없다는 표정으로 그를 바라보았다.

"언젠가 우리가 함께 본 저녁노을과 같은 것은 어느 누구도 가질 수 없어." 마법사는 말을 이었다. "비가 창문을 두드리며 내리는 오후를, 잠든 아이의 평온함을, 파도가 바위에 부딪히는 마법과도 같은 순간을 소유할 수 없듯이. 아무도 대지에 존재하는 가장 아름다운 것을 소유할 수 없지만, 그것을 알고 사랑할 수는 있어. 신께서 인간에게 당신 모습을 드러내시는 것은 바로 이와 같은 순간들을 통해서지.

우리는 태양의 주인도, 오후의 주인도, 파도의 주인도, 심지어 신께서 보여주시는 환영의 주인도 될 수 없어. 바로 우리가 우리 자신을 소유할 수 없기 때문이야."

마법사는 브리다에게 손을 내밀고 꽃 한 송이를 건넸다.

"우리가 처음 만난 날, 사실 나는 언제나 당신을 알고 있었던 것 같지만 이전의 생이 기억나지 않으니 우리가 처음 만난 날이라고 말할게. 그날, 나는 당신에게 어두운 밤을 보여주었지. 당신이 자신의 한계와 어떻게 맞서는지 보고 싶었어. 그리고 그날, 나는 당신이 내 소울메이트라는 걸 알고 있었어. 또 내가 배워야 할 모든 것을 당신이 가르쳐주리라는 것도 알았어. 바로 이런 이유로 신께서는 남자와 여자를 나누셨지."

브리다는 꽃을 어루만졌다. 몇 달 만에 처음 보는 꽃이었다. 봄이 온 것이다.

"꽃 속에 사랑의 진정한 의미가 들어 있기 때문에, 사람들은 꽃을 선물해. 꽃을 소유하려는 자는 결국 그 아름다움이 시드는 것을 보게 될 거야. 하지만 들판에 핀 꽃을 바라보는 사람은 영원히 그 꽃과 함께하지. 꽃은 오후와 저녁노을과 젖은 흙냄새와 지평선 위의 구름의 한 부분을 담고 있기 때문이야."

브리다는 꽃을 바라보았다. 마법사는 그녀의 손에서 다시 꽃을 거두어 숲에게 돌려주었다.

그녀의 두 눈에 눈물이 가득 고였다. 그녀는 자신의 소울메이트가 자랑스러웠다.

"숲이 내게 가르쳐주었어. 당신이 절대로 내 것이 될 수 없다는 것을, 그래야 당신을 영원히 소유할 수 있다는 것을. 당신은 내가 고독했던 시절에는 희망이었고, 의심했던 순간들에는 고통이었고, 믿음의 순간에는 확신이었어.

왜냐하면 나는 알고 있었기 때문이지. 언젠가 내 소울메이트가 오리라는 것을. 그래서 나는 태양 전승을 배우는 데 전념할 수 있었어. 내 존재를 지탱시켜준 것은 당신 존재에 대한 확신뿐이었어."

브리다는 눈물을 참지 못했다.

"그리고 당신이 왔고, 나는 모든 것을 이해했어. 당신은 나 스스로 만든 노예의 울타리에서 나를 해방시켜주었고, 내가 자유로운 사람이라고, 세상으로, 세속의 생활로 돌아가도 된다고 말해주었어. 나는 내가 알아야 할 모든 것을 깨우쳤지. 그리고 내가 만난 그 어떤 여자보다도, 의도하지는 않았으나 나를 숲으로 쫓아보낸 여자보다도 당신을 더 사랑해. 사랑이 자유라는 것을 언제나 기억할게. 이것이 그토록 오랜 세월을 거쳐 내가 배운 가르침이야.

나를 추방시켰던 가르침이고, 이제 나를 자유롭게 해방시켜준 가르침이야."

모닥불에서 탁탁 불꽃 튀는 소리가 났다. 남아 있는 몇 안 되는 손님들이 작별인사를 나누기 시작했다. 하지만 브리다의 귀에는 주변에서 일어나는 일들이 전혀 들리지 않았다.

"브리다!" 멀리서 부르는 소리가 들려왔다.

"당신의 눈동자에 건배를." 마법사가 말했다. 전에 본 옛날 영화에 나온 말이었다. 그는 행복했다. 이렇게 태양 전승의 중요한 한 페이지를 또 넘겼다. 그의 새로운 입문식을 위해 오늘 밤을 선택한 마스터가 그곳에 함께하는 것이 느껴졌다.

"평생 당신을 기억할 거야. 그리고 당신 역시 나를 기억할 거야. 우리가 그날의 저녁노을을, 창문을 때리던 비를 가질 수 없기에 언제까지나 가질 수 있는 것들을 기억하는 것처럼."

"브리다!" 로렌스가 다시 소리쳐 불렀다.

"평온한 마음으로 가기를." 마법사가 말했다. "눈물을 닦아요. 아니면 모닥불 연기 때문에 눈물이 났다고 말하는 것도 괜찮겠군."

"저를 절대로 잊으면 안 돼요."

그 말을 할 필요가 없다는 것을 알고 있었다. 하지만 브리다는 끝내 말하고 말았다.

위카는 세 사람이 빈 와인 병을 깜빡 두고 간 것을 눈여겨보았다. 그들에게 전화를 걸어 찾아가라고 해야 했다.

"이제 곧 불이 꺼질 거예요." 그녀가 말했다.

그는 내내 아무 말이 없었다. 모닥불에는 아직 불꽃이 남아 있었고, 그는 눈을 떼지 않고 그것을 응시했다.

"한때 당신을 사랑했던 것, 후회하지 않아." 위카가 말했다.

"나도." 마법사가 대답했다.

위카는 브리다에 관해 말하고 싶은 걷잡을 수 없는 충동을 느꼈지만 입을 다물었다. 그녀 옆에 선 남자의 두 눈은 지혜와 존경을 불러일으켰다.

"내가 당신의 소울메이트가 아니라는 게 참 아쉬워." 그녀가 다시 본론으로 돌아갔다. "그랬더라면 위대한 한 쌍이 됐을 텐데."

그러나 마법사는 위카의 말을 듣고 있지 않았다. 그의 앞에는 광대한 세계가 펼쳐져 있었고, 해야 할 일이 많았다. 신의 정원을 가꾸는 일을 도와야 하고, 사람들이 스스로 깨우칠 수 있도록 가르쳐야 했다. 그리고 다른 여자들을 만나 사랑을 하고, 현생을 열정적으로 살아갈 것이다. 그날 밤, 그의 존재의 한 단계가 완성되었다. 그리고 새로운 '어두운 밤'이 그의 앞에 펼쳐져 있었다. 다음 단계는 훨씬 재미있고, 즐겁고, 그가 꿈꿔왔던 것과 가까울 것이다. 그는 꽃과 숲, 그리고 그에게 왔던 젊은 여인들 덕분에 그것을 알고 있었다. 그 여인들은 운명을 완성하기 위해서라는 걸 깨닫지 못한 채, 어느 날 문득 신의 손에 이끌려왔다. 그는 이런 것들을 알고 있었다. 달 전승과 태양 전승을 통해.